Boeken van Kuki Gallmann bij Meulenhoff

Ik droomde van Afrika. Autobiografische roman
Afrikaanse nachten. Verhalen
Nacht van de leeuwen. Verhalen
Olifanten in mijn boomgaard. Autobiografische roman

3149

Kuki Gallmann

Afrikaanse nachten

Uit het Engels vertaald door Annelies Konijnenbelt

Zwarte Beertjes
Amsterdam / Utrecht

Eerste druk 1994, elfde druk 2003
Oorspronkelijke titel *African Nights*

Vormgeving omslag Mike Kroon voor Studio Deunk, Amsterdam
Omslagfoto Getty Images
Foto achterzijde omslag Chris van Houts
Typografie en zetwerk Studio Cursief, Amsterdam

www.meulenhoff.nl
ISBN 90 461 3002 9 / NUR 310

Voor Sveva, met mijn liefde, voor altijd

Luister goed, en vergeet vooral niet dat echte verhalen verteld moeten worden; als je ze voor jezelf houdt, pleeg je verraad.

ISRAEL BAAL SHEM TOV

INLEIDING

Wanneer mijn dochter en ik bij een kampvuur zitten, of voor de open haard op Kuti, en die speciale stilte van de Afrikaanse nacht gevuld is met de stemmetjes van miljoenen krekels, onderbroken door het gehuil van een hyena ver weg, door het gebrul van een leeuw of door onze honden die ineens naar schaduwen van olifanten beginnen te blaffen, moet ik denken aan oude avonturen, aan de mensen die ik heb gekend, aan de mannen die we hebben verloren, en dan vertel ik haar hun verhaal.

Ik ben geboren in Italië en al in mijn jeugd droomde ik van Afrika. Toen ik hersteld was van een ernstig ongeluk waardoor ik kreupel was geworden, ben ik naar Kenia gegaan met mijn tweede man, Paolo, zijn twee dochters en het zoontje uit mijn eerste huwelijk, Emanuele, die toen zes was.

In Nairobi kochten we een huis in de wijk Gigiri en na vele avonturen kwamen we in het bezit van Ol Ari Nyiro, een uitgestrekte ranch op het Laikipiaplateau met uitzicht op de Riftvallei, en dat werd ons thuis.

Het was een schitterende ranch met een overvloed aan wilde dieren. We slaagden erin een evenwicht te vinden tussen natuurbehoud en landbewerking. Het werd een gelukkige, onvergetelijke tijd. We leerden Afrika kennen, we leerden van de bewoners te houden en de wilde dieren en planten te beschermen.

Paolo kwam in 1980, enkele maanden voor de geboorte van ons kind, bij een auto-ongeluk om het leven toen hij van de kust op weg was naar mij met achter in de auto haar wieg, een houten boot die vissers uit een boomstam hadden gesneden.

Sveva was een prachtige baby, het evenbeeld van haar vader. Ik besloot in Laikipia te blijven. Emanuele, die inmiddels veertien was, had van jongs af aan blijk gegeven van een buitengewone intelligentie en een volwassenheid die niet bij zijn leeftijd paste. Hij was altijd al bijzonder geïnteresseerd geweest in dieren en ontwikkelde nu een diepe passie voor slangen.

Op zijn zeventiende werd Emanuele door een van zijn adders gebeten toen hij hem aan het melken was om gif op te vangen voor een vaccin. Enkele minuten later overleed hij in mijn armen. Ik begroef hem naast Paolo, achter in mijn tuin op Kuti, en op elk graf plantte ik een doornboom. Ik had het gevoel dat mijn moederhart onherstelbaar verwond was, maar hoewel Emanueles dood me diep aangreep, werd mijn liefde voor het land van mijn keuze er niet door aangetast. Integendeel, mijn voornemen het land actief te gaan beschermen, werd erdoor gesterkt.

Ter herinnering aan Paolo en Emanuele heb ik de Gallmann Memorial Foundation opgericht, die op Ol Ari Nyiro wil laten zien hoe mensen en wilde dieren harmonieus naast elkaar kunnen bestaan en die nieuwe manieren ontwikkelt om de natuur te beschermen en haar niet uit te putten. De stichting heeft een anti-stropersbrigade opgezet die waakt over de veiligheid van de wilde dieren. Vele projecten zijn al tot een goed einde gebracht en vele andere worden ontwikkeld, waarbij sterk de nadruk ligt op voorlichting: een neushoorn- en een olifantenproject, een ornitologisch, een botanisch en een etnobotanisch project, het beheer van weidegronden, een onderzoek naar organische brandstoffen en ecologische kringloophoutskool. De stichting beschermt het Afrikaanse culturele erfgoed door inheemse kunstvormen, handvaardigheden en dansen te stimuleren. Ze financiert de opleiding van getalenteerde Kenianen en heeft de Laikipia Wilderness School opgericht waar studenten vanuit de hele wereld ongeacht hun nationaliteit of inkomen en begaafde Afrikaanse studenten worden opgeleid, zodat ze uit de eerste hand, uit het open boek der natuur, het Afrikaanse milieu leren kennen waarvoor ze later zelf verantwoordelijk zullen zijn.

Het logo van de stichting stelt de twee acacia's voor die op de graven staan.

Ik heb altijd van boeken gehouden en de muziek van woorden fascineert me. Ik heb uiteindelijk mijn levensverhaal opgeschreven, dat ik de titel *Ik droomde van Afrika* meegaf.

Een leven is te veelomvattend om in één boek te kunnen vangen. Het is nog te vroeg om een vervolg op mijn autobiografie te schrijven, omdat de betekenis van gebeurtenissen pas echt duidelijk wordt in het perspectief dat alleen de tijd aan herinneringen kan geven. Dit boek is een verzameling waargebeurde episoden uit mijn leven die zich grotendeels afspelen in dezelfde periode als mijn vorige boek. Ze zijn met elkaar verbonden door mijn liefde voor Afrika en zijn geheimzinnige bewoners, door mijn verwondering over de schoonheid van het landschap en de alom aanwezige magie, en door mijn verlangen naar het verleden.

Kuki Gallmann
Laikipia, september 1993

Eiland in de volle maan

Als dit nu eens de laatste avond van de wereld was?
JOHN DONNE

Onze eerste kerst in Afrika brachten we aan de kust door.

Hoewel de prachtige stranden en het ongerepte koraalrif toen al toeristen uit de hele wereld begonnen te trekken, waren dat er nog niet veel. De kust van Kenia was nog voornamelijk het domein van zeemeeuwen en zeeschildpadden, van uit holle boomstammen gemaakte *daho*'s*, van Giriama- en Swahilivissers die het getij liederen toezongen over golven en hoop op vis.

Bij de kustplaatsjes lagen een paar kleine enclaves waar rustige Europeanen van middelbare leeftijd woonden. Ze waren vooral te vinden bij Malindi, Kilifi, Vipingo, Shanzu en Shimoni. Ze vormden een wonderlijke gemeenschap van gepensioneerden, voor het merendeel voormalige boeren, die hun grond in het binnenland, aan de voet van de Mount Kenya, op de door de wind geteisterde droge hooglanden of in de groene thee- en koffiedistricten Kericho en Thika, hadden verkocht. Ze brachten nu hun zonovergoten dagen ongestoord door, vielen niemand lastig en zaten in het gezelschap van talloze honden en gulle borrels in het briesje op de ruime, overschaduwde veranda's van hun nieuwe huizen. Deze waren gewoonlijk gebouwd van witgekalkte blokken koraal; de hoge daken van palmbladeren gingen schuil in door bougainvillea's en mangobomen overwoekerde tuinen met uitzicht op het glanzende rif.

Ze bezaten de meest uiteenlopende boten, van grote zeewaardige motorjachten tot bescheiden zelfgemaakte catamarans,

* Voor een verklaring van de Afrikaanse woorden zie de woordenlijst op blz. 141 en 142.

waar ze heel voorzichtig mee omsprongen omdat ze allemaal grote liefhebbers waren van diepzeevissen of van varen, of beide.

De zee had altijd een bijzondere aantrekkingskracht uitgeoefend op Paolo, die het heerlijk vond haar te verkennen, en voordat we ons eigen beloofde land hadden gevonden, gingen we vaak naar de kust. Voor mensen die afgezonderd in de stilte van hun eigen herinneringen leefden en van wie ik het heel goed had kunnen begrijpen als ze vreemden niet hadden getolereerd, was de gemeenschap aan de Keniaanse kust heel hartelijk en liet ze ons meteen voelen dat we welkom waren.

Misschien wekte het feit dat we jong waren en even verrukt van de oceaan als zij, onbekommerd en verliefd, met leuke, zonnige kinderen, dat we van ver kwamen en alle tijd van de wereld hadden, hun nieuwsgierigheid en een stil verlangen naar vervlogen tijden. Ze boden ons in alle onbaatzuchtigheid de gastvrijheid van hun huizen, boten en drankvoorraden aan en de vriendschap van hun huisdieren.

Van tijd tot tijd organiseerden ze met onverwachte vindingrijkheid feestjes om de eentonigheid van hun dagen te doorbreken.

Op een avond in Shimoni, vlak voor de jaarwisseling, werden wij met mijn moeder, die ons voor het eerst in Afrika was komen opzoeken, uitgenodigd voor een picknick bij volle maan op een eiland in de oceaan dat alleen bij eb droog kwam te liggen.

'Zullen we gaan?' vroeg Paolo met een blauwe glinstering in zijn ogen. 'Het wordt een heldere nacht met fantastisch licht.' En om me te plagen: 'Het is wel ver. Misschien worden we nat... en het wordt laat voor de kinderen en je moeder. We hebben een kompas nodig om de weg te vinden. Het is eigenlijk gekkenwerk.'

Dat was het inderdaad. Maar het was ook onweerstaanbaar.

'*Andiamo*,'* zei ik, want ik sprak toen alleen nog maar Italiaans.

We verzamelden ons in de avondschemering bij een van de

* 'Laten we gaan.'

huizen aan de kust. Op de banken stonden koelboxen en manden vol eten waarvan de inhoud de afkomst van de eigenaars verraadde: de Scandinaviërs hadden met dille ingemaakte haringen en levensgevaarlijke schnapps bij zich, de Engelsen sandwiches met gerookte zalm, Schotse eieren, schimmelkaas en bier, de paar Grieken witte kaas en goddelijke ouzo, en wij uiteraard pizza's, salami, provolonekaas en mandflessen rode chianti en gekoelde witte fol, plus de klassieke grote *panettone** die bij geen enkele Italiaanse kerst mag ontbreken en die mijn moeder, op dit moment enigszins verbijsterd door het avontuur, dapper helemaal uit Venetië had meegesleept.

Alleen in groepen die voornamelijk uit Britten bestaan, kan een 'ingehouden opwinding' heersen. Actief, efficiënt, doelgericht. In deze sfeer werden de boten ingeladen, de avond viel en we vertrokken.

De vochtige warmte van een zoute bries streelde ons gezicht en het zwarte, olieachtige oppervlak van de oceaan opende zich gewillig voor de boten en sloot zich in ons kielzog met glanzend schuim. Het plankton lichtte op als een verzonken melkweg en tekende magische patronen op het rimpelende oppervlak. De motoren ronkten. Emanuele, een jongetje van zes, kwam vlak naast me zitten en in zijn grote donkere ogen die alles in zich opnamen, zag ik de weerspiegeling van de avond.

Iemand zong een traag lied dat zich mengde met de pratende stemmen, het geronk van de motoren en de geur van zeewier. We voeren urenlang diep de duisternis in.

En toen, op een plek in de oceaan die eruitzag als elke andere, stopte de eerste boot ineens en veranderde het geluid van de motor in een gemurmel. We zwegen en keken verwachtingsvol naar de iets lichtere horizon waar de inktzwarte nacht een draperie van donkerblauw fluweel werd met sterren die stilaan verbleekten als dovende kaarsen. De bries leek aan te wakkeren en te veranderen in een vreemde wind. De stroming die tegen de zijkant van de boot klotste, leek steeds sneller te worden weggezogen,

* Milanees gebak.

terwijl een enorme, witte maan opkwam en over de horizon gleed.

Stukje bij beetje, massief en stil, begon het mysterieuze eiland voor onze ogen op te rijzen. Eerst verschenen de koraalrotsen als de gekromde rug van een slapend zeemonster; toen kwam een verrassend wit en glad opalen strand te voorschijn dat zich mat met de koele maan.

Uit alle boten werden rubberbootjes neergelaten en volgeladen met etensmanden, barbecues en kratten met flessen. De mensen begonnen enthousiast naar het eiland te roeien. Ik kreeg een klein, geel rubberbootje toegewezen dat nat en glibberig was. Ik deelde het bootje met Emanuele, een krat bier en een kist bananen.

Ik begon te roeien, maar ik had de stroming niet goed ingeschat. De wind werd sterker. Twintig minuten later leek ik nog niets te zijn opgeschoten. Ik was doorweekt en koud, de anderen waren ver weg, de kust leek onbereikbaar en de wind verwaaide mijn stem.

Eindelijk ontdekte Paolo me en schoot me lachend met een andere boot te hulp. In een mum van tijd stond ik op het stevige, koele zand, veilig in zijn armen, nippend aan een glas wijn.

De mensen vormden kleine groepjes, verdeeld of verenigd naar gelang hun leeftijd, smaak, stemming, honger of dorst. De houtskool werd met enige moeite aangestoken met behulp van de blauwe spiritusvlam die in de wind algauw veranderde in een oranje gloed die de smeedijzeren barbecue verhitte. De wind voerde welriekende geuren mee van gegrilde gemarineerde kip, spetterende worstjes en knoflookbrood.

De stroperige, gekoelde schnapps die gretig uit minuscule glaasjes werd gedronken, bracht de stemming er na enkele minuten goed in en verdreef de koude rillingen. Het vrolijke geluid van knallende kurken vulde de nacht.

Een groepje kinderen zong bij een gitaar. Anderen renden langs het strand achter krabben aan en Emanuele ging alleen met zijn zaklantaarn op zoek naar onvoorzichtige porseleinslakken die door het terugtrekkende water op de oevers waren achtergelaten. Zelfs mijn moeder leek een gesprekspartner te hebben gevonden.

Ontspannen en tevreden rolde ik een rieten matje uit, ging erop zitten, verzonk in gedachten, een *kanga* om me heen, en keek naar Paolo die met hongerige handigheid het gegrilde vlees keerde, flessen ontkurkte en er volkomen op zijn gemak in het Engels op los babbelde.

Naarmate de uren verstreken, werden we steeds stiller.

Opnieuw een subtiele verandering, een huivering in de bries. Het water kwam terug. Eerst heel langzaam, maar algauw steeds sneller begonnen de golven centimeter voor centimeter het zand te overspoelen.

En met het stijgende water veranderde de stemming. Op dat onzichtbare eiland in de volle maan, midden in de Indische Oceaan, leek alles mogelijk. Bestond de rest van de wereld nog wel? Italië, dat ik nog maar net achter me had gelaten, leek nu zo ver weg.

Dwaze gedachten kwamen in me op: we zouden terugvaren zonder Shimoni te kunnen vinden, geen kust meer om aan land te gaan, alleen een oneindige oceaan waaruit strandtongen zoals deze met de maan een paar uur lang te voorschijn komen.

Als de Vliegende Hollander eeuwig zwerven op de woeste baren. *Passa la nave mia con vele nere...**

Tijd om terug te gaan. Een plotseling voorgevoel, leegte, angst. Ik zocht Emanuele. Hij rende in de wind langs de oevers zijn dromen achterna, nietig en onbereikbaar als een elf in een sprookje, zijn haar de kleur van de afnemende maan.

Met beklemd gemoed riep ik hem en mijn stem kaatste terug in de nacht als die van een verdwaalde zeemeeuw.

Toen was Paolo bij hem. Ze renden samen, hand in hand.

* Voorbij komt mijn schip met zwarte zeilen.

Emanuele en zijn kameleons

*On a souvent besoin d'un plus petit que soi.**
JEAN DE LA FONTAINE, Fables II, II, *'Le Lion et le Rat'*

'Ik herinner me hem nog goed,' zei de aantrekkelijke jonge vrouw die ik zojuist had ontmoet met een verlegen glimlach. 'We zaten als kind in dezelfde klas op school. Hij was aardig, rustig en anders. Zijn dood deed me verdriet.'

Haar ogen in het duister leken omfloerst – of kwam dat door het kaarslicht?

'Hij had altijd kameleons in zijn lessenaar.'

'Pep, kijk eens wat ik heb gevonden!'

Een grijsachtige miniatuurdraak hield zich krampachtig aan zijn steile blonde haar vast. Mijn adem stokte. Het was een lelijk beest met een ruwe huid vol ronde, droge blaasjes, drie bulten op zijn neus, net als een neushoorn, en een grote tandeloze bek die op die van een kikker leek en nogal weerzinwekkend was. Voorzichtig pakte Emanuele het beestje van zijn hoofd om het mij te laten zien.

Het was op een middag in maart in Nairobi en we hadden net een van de eerste plotselinge stortbuien van de lange regentijd gehad, die een sterke geur van natte aarde en vers hooi achterlaten waarna de druppels in het gras in een mum van tijd opdrogen in de felle zonneschijn.

Hij keek me aan met zijn diepe ogen van bruin fluweel, overschaduwd door een ongekende melancholie die niet bij zijn leeftijd paste. 'Het is een Oostafrikaanse driehoornkameleon, Pep,' zei hij trots. 'Ik heb hem in de bamboebosjes gevonden.' Hij bekeek hem vol bewondering. 'Vind je het niet net een Triceratops? Mag ik hem houden? Hij heet Koning Alfred.'

Koning Alfred was de Britse koning die tegen de Denen had

* Vaak heb je behoefte aan iemand die kleiner is dan jezelf.

gevochten en in Emanueles geschiedenisboek droeg hij de gehoornde helm van de legendarische vikingen. Ik vermoed dat de vorstelijke naam met deze associatie te maken had.

Ik knikte zwakjes. Zijn ogen lichtten even triomfantelijk op. En dat was het begin van zijn liefde voor reptielen, zijn hartstocht voor kameleons en zijn ongelooflijke handigheid om ze te vinden, waar hij ook was.

Emanuele was een geboren verzamelaar. Als klein kind al verzamelde hij mineralen, schelpen en miniatuurmodellen van dieren. Later zouden slangen zijn blijvende passie worden. Kameleons waren de eerste reptielen die hij officieel bezat. Ik wist niet dat we een nieuwe periode waren binnengegaan en dat er geen terugkeer mogelijk zou zijn. Binnen een paar jaar zouden het echte slangen zijn en een slang zou zijn lot bezegelen.

Hij was zes.

Algauw hielden we allemaal van Koning Alfred. Hij zag er inderdaad uit als een van die gigantische plantenetende dinosaurussen die in de Krijtperiode hadden geleefd, zoals ik las in een van Emanueles boeken die ik erop nasloeg.

Dinosaurussen waren bij toeval al jaren eerder ons leven binnengedrongen toen mijn vader tijdens een van zijn zwerftochten een sensationele vondst deed: hij trof een hele berg botten van dinosaurussen aan bij een fossiele rivierbedding in de Ténéréwoestijn. Mijn vader schreef een boek over zijn avontuur en daarin werd een zwart-witfoto opgenomen van de vierjarige Emanuele die met uitgestrekte arm naast het enorme skelet van een monsterlijke Diplodocus staat om de lezer te laten zien hoe nietig de mens daarmee vergeleken is.

Anders dan ik wist Emanuele alles over dinosaurussen, hoe ze eruitzagen, heetten en leefden. Er was inderdaad een sterke gelijkenis tussen de originele Triceratops en zijn raadselachtige afstammeling die bij ons kwam wonen.

Kameleons hebben een uitgesproken persoonlijkheid en ik kon best begrijpen waarom een nieuwsgierige, intelligente jongen die door dieren werd gefascineerd in de ban raakte van deze nauwgezette, methodische monstertjes.

Overdag woonde Koning Alfred in een doos met bladeren en takjes. Emanuele nam in een oude jampot insecten voor hem mee die hij op school ving zodra hij maar even vrij was. Vaak smokkelde hij hem echter in een kartonnen doos met gaatjes mee naar school en liet hij hem tijdens het speelkwartier in de lage struiken op het schoolplein klauteren. Hij keek verrukt toe hoe de kameleon al capriolen makend op jacht ging.

Koning Alfred was maar een paar decimeter lang. Zijn poten liepen uit in handachtige klauwen met vijf sterke tenen, vergroeid tot twee tegenover elkaar geplaatste groepen, waarmee hij zich stevig aan de dunste stengels en uitlopers kon vastklampen. De opgekrulde grijpstaart kon zich razendsnel om de kleinste blaadjes en twijgjes slingeren en hij had hetzelfde griezelige gevoel voor evenwicht als apen die van de hoogste bomen in het oerwoud duiken.

Het meest opvallende aan hem waren echter zijn ogen, stereoscopische instrumenten die onafhankelijk van elkaar bewogen en zich via de opening in de vergroeide oogleden op een klein blikveld scherp stelden voor de feilloze, felle uitval van zijn tong. Het nietsvermoedende insect wiegde op een grasssprietje; de tong was sneller dan onze plotselinge walging, die pas wegebde als de sprinkhaan allang was verzwolgen. We hielden onze adem vol afgrijzen in.

Maar in de loop van de tijd raakte ik gewend aan deze misselijkmakende vertoning en kon ik zelfs bewondering opbrengen voor de precisie van zijn uitvallen, die me deden denken aan de lasso van een cowboy die ver verwijderde voorwerpen kan bereiken, of aan de wrede katapult die de vrije vlucht van elke vogel kan breken.

Het wonderlijkst waren nog wel de kleurvariaties in de huid van Koning Alfred, van bruin in de zon tot onverwachte schakeringen van smaragdgroen in de schaduw; en toen hij op een dag op mijn gele beddensprei zat, werd hij binnen een minuut citroengeel, alsof hij voor onze ogen met onzichtbare penseelstreken werd beschilderd.

Op een bepaalde manier werd ons huishouden door zijn aanwezigheid anders, want sommige bedienden weigerden een kamer binnen te gaan als ze dachten dat hij daar was. Onze kok Gathimu en de huisbediende Bitu kwamen nooit meer in de studeerkamer waar Emanueles nieuwe vriend vrij rondliep, 's middags op zijn studieboeken zat als hij zijn huiswerk maakte, het plafond afzocht naar vliegen en muggen en verlekkerd de luie, slome insecten in huis besloop.

In Afrika worden veel verhalen verteld waarin kameleons voorkomen, vermoedelijk door hun verbazingwekkende mimicry. De meeste Afrikanen houden niet van kameleons en blijven liever uit hun buurt. In de plaatselijke legenden speelt de kameleon de rol die in de christelijke overlevering wordt toegekend aan de slang die Eva in de hof van Eden verleidde: een soort samenzwering met de vrouw op wie hij lijkt door zijn veranderlijkheid en plooibaarheid, doordat hij zich elk moment in een fantasie van regenbogen kan transformeren.

Dat dubieuze 'ongrijpbare' aura is de redding van de kameleon en stelt hem in staat ongestraft en veilig rond te lopen met zijn hulpeloze, prehistorische lichaampje. Zijn enige natuurlijke vijanden zijn de roofvogels die geen boeken lezen en niet in verhaaltjes geloven.

Koning Alfred was de eerste van vele kameleons. Er zouden nog verscheidene kleine, donkere dwergkameleons volgen. Twee nogal dikke beestjes – die dan ook Fatty I en Fatty II heetten – hadden geen bulten op hun neus en leken nog het meest op schijnheilige kikkers.

We hebben een Robert Bruce gehad, een Victor, een Kiwi, een *Pembe Nussu* (oftewel 'halfhoorn', vanwege zijn kapotte hoorn), een Koning Alfred de Tweede en nog vele andere waarvan ik de namen vergeten ben. Mijn zoon verzorgde ze liefdevol en liet ze over de bamboeplanten lopen en op de gardenia's naast mijn kamer, die met hun bedwelmende geur ontelbare insecten aantrokken.

En op een dag gingen drie kameleons met ons mee op expeditie naar het Turkanameer omdat Emanuele weigerde ze thuis te laten. Dat was tijdens de paasvakantie in de hete, droge maand april, kort voor de regentijd. De reis vanuit Nairobi duurde lang, twee dagen rijden over stoffige wegen, en werd nog verder vertraagd doordat we steeds moesten stoppen om de kameleons te verzorgen.

Zodra we stilstonden, ging hun doos open om de lucht te verversen en werden ze met koel water besprenkeld; ze slaagden er dan zelfs in een paar vliegen te vangen. Maar de hitte van het handschoenenkastje in de Landrover werd de grootste kameleon te veel. Toen de tweede dag laat in de middag na uren hobbelen het adembenemende, langgerekte meer met zijn eilanden en zijn oevers van zwarte lava en gele grassen na de laatste bocht als een oerdroom in zicht kwam, was Fatty I dood.

In de open doos vol verdroogde vliegen leek zijn uitgestrekte lichaampje vreemd kleurloos, als een negatief van wat het was geweest. Het zag er even kwetsbaar en fragiel uit als de archeologische vondsten die uit verborgen nissen in kapotte, kurkdroge graftomben te voorschijn komen en uit elkaar dreigen te vallen als ze worden blootgesteld aan het daglicht. Het had me niet verbaasd als de overblijfselen van Fatty I plotseling waren verpulverd.

Dit drama wierp een schaduw over ons plezier. Toen we kilometers verderop de oase Loyangalani bereikten en uit de auto stapten om wat te drinken en verkoeling te zoeken in de bries en in de schaduw onder het groepje palmbomen, ging Emanuele niet met ons mee. Hij liep alleen door het scherpe gras over het pad in de richting van de warmwaterbronnen.

Hij kwam zonder doos terug, met glanzende ogen onder de blonde pony. We begrepen dat hij de kameleons had vrijgelaten in een omgeving waar ze konden overleven en dat hij de overblijfselen van Fatty I onder een brok lava had begraven.

We zwegen bij zijn verdriet.

Niet zo lang geleden snuffelde ik in zijn oude, vergeelde aantekeningen, die ik nu als kostbare relikwieën koester, en vond ik een groot, blauw schrift dat hijzelf in elkaar had gezet. Op het kaft had een kinderhand met rode pen geschreven: 'Mijn kameleons'.

Ik bladerde het door. Het was gedateerd op juli 1975 en in het Engels geschreven. Keurig gerangschikt per bladzijde had hij in zijn kleine, precieze handschrift namen en data genoteerd, families, soorten, lievelingseten en details van al zijn kameleons; een van de bladzijden was dubbelgevouwen, verkreukeld en gedeeltelijk verscheurd. Ik streek het vel voorzichtig glad.

De passage was bijna onleesbaar en eindigde met: '*Kameleons zijn heel bijzondere dieren en fascinerende jagers. Mijn liefde voor hen begon in 1972 en nu, in 1975, houd ik nog steeds van ze. Fatty I en Fatty II waren mijn favorieten. Ze konden heel snel eten, maar voor de rest waren ze sloom. Als ik ze losliet of als ze ontsnapten, vond ik ze altijd weer terug. Fatty I is aan het Rudolphmeer doodgegaan van de hitte.*'

Bij het woord 'doodgegaan' had de pen even gehaperd.

De jachtluipaard van de brigadegeneraal

...de gestroomlijnde, glanzende wezens van de jacht.
LORD ALFRED TENNYSON, *The Revenge*, v. 1147

Soms, als we tijdens de vakantie in Nairobi waren, vroeg Emanuele me 's middags om mee te gaan naar Tigger. Hij herinnerde zich nog goed dat we hem vonden en dat hij niet was weggelopen toen hij ons had gezien. Tigger was een mannetjesjachtluipaard van een paar jaar oud die woonde op de koffiefarm van een van onze buren, een gepensioneerde brigadegeneraal.

Dan sprongen we in de auto en vertrokken. Eerst reden we over een verharde weg en daarna over een rood fluorietpad dat tussen de koffiestruiken door slingerde. Algauw zagen we het bekende tafereeltje opdoemen.

Langzaam wandelden ze over de helling door het hoge, droge gras, met de geduldige zwarte honden, die hun staart ritmisch heen en weer zwaaiden, achter zich aan. Een meisje duwde een kinderwagen voort waaruit twee sproetige kindergezichtjes gluurden.

Lang en lichtelijk gebogen, met in zijn hand een golfclub waarop hij steunde, liep daar de brigadegeneraal met zijn vrouw en de jachtluipaard.

De jachtluipaard bewoog zich lichtvoetig. De pluizige punt van zijn staart sleepte net over de grond en zijn soepele gang had de gratie van een dans op de maat van de onhoorbare cadans van trommels veraf. Een riem omspande zijn borst. Zijn bewegingen waren zelfverzekerd en loom, de kleine kop was tussen de machtige schouders getrokken en het ene, alerte, gele oog kleurde volmaakt bij de regelmatige zwarte vlekken op zijn vacht.

Emanuele holde naar hem toe om hem te omhelzen. De ruwe tong likte vriendelijk Emanueles jonge hals en wangen, het oog sloot van genot en de mannetjesjachtluipaard spon als een bovenmaatse, tevreden kat.

Ze maakten al jaren hetzelfde avondwandelingetje – tussen de koffiestruiken door, over de hellingen achter het huis – al sinds de tijd dat hij samen met de andere welpen was gevonden, achtergelaten door hun moeder die na een lange achtervolging op de savanne was gedood.

Hij werd gevoed en verzorgd en was het lievelingetje van het nest omdat hij een aangeboren oogafwijking had waardoor hij nooit alleen zou kunnen jagen en onafhankelijk zijn zoals zijn soortgenoten.

Hij was net een jong poesje: zacht als echt speelgoed en even hulpeloos als elk verstoten jong. Hij kreeg ondanks zijn zachtaardigheid de woeste naam Tigger. Zijn jonge spieren spanden zich alleen wanneer wilde hazen uit hun in de rode aarde gegraven holen schoten en met malle sprongen in het kreupelhout verdwenen; dan werden zijn aangeboren instincten wakker en wilde hij de vluchtende prooi opjagen.

Hij speelde met de Labrador-puppy's die kort tevoren waren geboren in de hondenmand onder de trap achter het huis, door de 'gouden stroom'* met een waterval van oranje bloesem overwoekerd, een schuilplaats als een echt hol in het oerwoud.

* Een tropische kruipplant die in Kenia veel voorkomt.

Van de zes zwarte, wollige pups bleven er uiteindelijk drie over. Door de stoeipartijtjes op het gazon, de kluiven die ze met elkaar deelden, de plotselinge, uitzinnige sprintjes en de diepe slaap waaraan ze zich met de poten omhoog in het gras overgaven, de ogen gesloten tegen de stralen van de meedogenloze tropische zon, werden ze onafscheidelijk. Hij was nooit alleen en het is gissen of in de platte, compacte kop ooit dromen zweefden van rennen over de vlakte in de korte, rode zonsondergang, als de hooglanden vol leven zijn door de talloze kudden gazellen en de roofdieren met lome passen te voorschijn komen uit de schaduwen van de dag om de geur van de prooi en van de nacht op te snuiven.

Vaak lichtte hij bij een plotselinge beweging zijn kop op: de zwarte, trillende neusvleugels vingen een reukloze geur op en de oren richtten zich naar het onhoorbare geritsel van een nabij, heimelijk leven. Het oog van amber en honing speurde de horizon af. Het was omcirkeld met een zwarte lijn die de ronde snuit als een masker aftekende en twee zwarte tranen vormde die tot aan de mondhoeken gleden. Zelfs de geringste huivering van het savannegras ontsnapte niet aan zijn blik, die als een verrekijker op de einder was gericht.

Hij speelde met de honden: hij was meer hond dan kat met zijn klauwen die hij niet kon intrekken. Hij zag eruit als een grote windhond met een feliene kop en slanke poten die veel tengerder waren dan de krachtige, gedrongen poten van de leeuw, en klauwen die veel frêler waren dan de ronde, katachtige klauwen van de gewone luipaard. Het gezicht met de zwarte oorlogsverf had een treurige uitdrukking en hij bewoog zich licht en sierlijk met de luie elegantie die voortkomt uit de zekerheid veilig te zijn.

Zijn moeder had haar welpen ter wereld gebracht in de schaduw van een grote acacia, alleen, tussen lage struiken die haar onttrokken aan het oog van haar natuurlijke vijanden, de hyena en de wilde hond. Ze had haar jongen in haar eentje grootgebracht en liet ze overdag achter wanneer ze traag en zonder vrees over de vlakten zwierf, de gracieuze staart vloeiend als manen in de wind van het avontuur.

Ze werden al snel zelfstandig, geholpen door de natuur die grappige sprieten op hun kop liet groeien, wit en recht als het lange, door de zon gebleekte gras van de hooglanden. Een uitstekende camouflage, zelfs tussen dorre takken en stekels, totdat de moeder in de avondschemering met haar gezwollen borsten terugkeerde om hen te voeden, haar adem nog geurend naar het bloed van een Thomsongazelle.

Maar op een avond kwam ze niet terug. De hongerige, apathische welpen werden de volgende dag door een jager gevonden in de schaduw van de acaciaboom, dicht tegen elkaar aangekropen om troost te zoeken. Tigger groeide met de puppy's op. Hij zag er grappig en heel anders uit dan de pups met hun zwarte vacht. Zijn witte, opvallende, aandoenlijke kuifje was volkomen misplaatst op het groene gazon dat zo anders was dan het zilveren savannegras dat golft in een plotselinge windvlaag.

Hij werd sterk, maar was zich niet bewust van zijn grote kracht en elegantie. Toen hij eindelijk volwassen was, voelde Tigger op maartse avonden ineens de roep van zijn ras, ook al lag de farm waar hij woonde aan de rand van de stad; het geluid van passerende auto's en vrachtwagens was gedempt door het kleine bosje bomen heen te horen als een aanval op zijn eenzaamheid.

Vlakbij woonde een tamme vrouwtjesjachtluipaard in een door bougainvillea's, honden en hoge hibiscusheggen afgeschermde tuin.

Op een avond kwamen we laat thuis van een feestje en op de hoek van de straat waar ik woon, tussen sisalplanten en reusachtige *poinsettia*, ontwaarde Emanuele met zijn scherpe blik een bewegingloze vorm, in al zijn wilde schoonheid omstraald door het licht van de volle maan. Doodstil, als het beeld van een sfinx, zat hij onder de peperboom naast ons naambord. Zijn nek was gespannen en zijn neusgaten waren opengesperd om de lucht op te snuiven. Een laag ademgeruis, een diep gegrom – misschien een paringskreet – ontsnapte met tussenpozen aan zijn imposante keel. Uit alle tuinen in de buurt klonk woedend geblaf van honden die hun onrust naar de maan jankten. Noch dit tumult, noch onze naderende auto leek hem te storen.

'Tigger,' fluisterde Emanuele vanuit het autoraampje.
Hij draaide langzaam zijn kop in onze richting en keek ons recht aan, zonder angst, afwezig, omringd door zijn mysterie. En ineens was hij verdwenen, opgeslokt door de duisternis.

Ik denk dat toen het verhaal van de luipaard van Rosslynn in de wereld is gekomen. Iemand anders had hem gezien en gaf een onjuiste beschrijving van het beest. Een tijdlang sloot iedereen zijn honden 's nachts op, want het was algemeen bekend dat luipaarden dol zijn op hondenvlees. Wij deden dat niet: wij wisten dat het Tigger maar was die zijn veilige hondenmand en warme deken liet voor wat ze waren en 's nachts kilometers liep om zijn sluimerende, nooit bevredigde instinct te volgen. We belden de brigadegeneraal en deze constateerde dat het hek nog op slot zat, maar dat de mand in de maanlichte nacht leeg was. Hij liet het hek openstaan, hoewel het niet echt nodig was omdat een jachtluipaard een uitstekende springer is.
De volgende ochtend was Tigger terug, onaangedaan en tam alsof er niets was gebeurd, om met de honden te spelen en te wachten op de riem en het avondwandelingetje tussen de koffiestruiken: als op een oude prent van achteren door de zon belicht.
Kort daarna wierp de vrouwtjesjachtluipaard van onze buren tot ieders verrassing een nest. Een van de jongen had een aangeboren oogafwijking. En wij wisten allemaal wat er was gebeurd.

De Masai-vrouw

In het gezicht van sommige Masai-vrouwen is het verhaal te lezen van een volk dat door de onwrikbare traditionele wetten uniek is op aarde.
ROBERT VAVRA, *A Tent with a View*

De vrouw die door het kamp kwam aangelopen, was mager en lang. Haar leeftijd was moeilijk te schatten: ergens tussen de achttien en de dertig. In de gele augustusdageraad kwam ze recht op me af. Ik rekte me uit om het laatste restje slaap te verdrijven, rillend in de koele ochtendlucht van de koudste maand van het jaar op de Keniaanse hooglanden.

Het was augustus 1973, toen de jacht in Kenia nog vrij was.

Ze begroette me in het Swahili met een hoge, heldere stem en zonder een zweem van verlegenheid vroeg ze me ogenblikkelijk om zout.

'*Chumvi. Mini nataka chumvi.*'

Ze glimlachte naar me met regelmatige, ver uit elkaar staande tanden.

Alle bewoners van de hooglanden hebben zout nodig als aanvulling op hun dagelijkse voedsel. Rotszout vermengd met aarde levert een liksteen op die geen olifant, neushoorn, antilope of buffel kan weerstaan. Ze lopen er in de schemering kilometers ver voor, aangetrokken door de subtiele geur die het menselijk reukorgaan ontgaat. En voordat ze de beschutting verlaten van het struikgewas rond de plek waar de liksteen staat en waar vele generaties dieren alle begroeiing hebben vertrapt, blijven ze even staan om de lucht met trillende neus of aarzelende slurf op te snuiven, speurend naar de geur van gevaar in de wind. Gerustgesteld lopen ze dan door, de kop naar beneden, verlangend naar het in de aarde verborgen zout.

Chumvi. Een handvol van dat kostbare zout is een traktatie die zelfs de mensen in het Afrikaanse binnenland zelden kunnen weerstaan. Ik glimlachte naar haar en knikte. Ze kwam op elegante benen dichterbij en ging naast me in het stof zitten.

We hadden laat in de middag onze tenten niet ver van een *manyatta* opgeslagen, in de buurt van Narok, een van de voornaamste woongebieden van de trotse Masai-stam.

Narok bestond in die tijd uit een paar benzinestations, een bazaar die zoals gewoonlijk door Indiërs werd gedreven en een paar simpele *duka's*, de winkeltjes waar vrijwel alles te koop is, van thee tot dekens, van donker suikerriet tot snuiftabak en van ingeblikte bonen tot tabletten tegen inheemse malaria – die overigens vaak niet werken.

We hadden een plek uitgekozen in de schaduw van een paar gele koortsbomen en 's avonds hadden we van twijgjes en droge takken een vuur gemaakt waarop we met behulp van een primitief metalen rooster het malse vlees hadden geroosterd van de Thomsongazelle die niet snel genoeg was geweest.

Het was een grote manyatta, die zoals altijd bestond uit langgerekte lage bouwsels, afgerond als broden en gemaakt van een mengsel van modder en mest op een staketsel van gebogen stokken die me deden denken aan uitgedroogde kristallieten.

Stekelige takken van de acaciastruik en *wait-a-bit*, een doornplant die aan je kleren blijft haken, werden met de dikke, prikkelige kant naar buiten rond deze nederzettingen geplaatst, zodat er een hoge schutting ontstond waar geen dier of mens overheen kon.

Op deze plek bracht het vee de nacht door, dicht tegen elkaar aan, beschermd tegen roofdieren en veedieven. Het vee was de rijkdom die de god Ngai – 'hemel' in het Masai – voor eeuwig aan de Masai-stam had geschonken.

De vrouw was gekleed in met vet en oker roodgemaakte geitenvellen. Aan haar rechteroor, uitgerekt tot de schouder, hing een tinnen sieraad, als zilver gepolijst en in de vorm van een pijl. Het linkeroor was versierd met de oude dop van een bierflesje die glom als een nieuw muntstuk. Het rechterbeen was van enkel tot knie omwonden met een spiraalvormige koperen band, zo strak dat het iele vogelpootje geen kant uit kon. Het was zo dun dat ik moest denken aan de eeuwenoude scheenbeenderen die ik ooit als kind had gevonden in een pas omgeploegde akker in de buurt van Quarto d'Altino die ik met mijn vader had verkend.

Hoe ver, en toch hoe dichtbij leek mijn jeugd hier in Afrika.

Deze opschik gaf aan dat de vrouw getrouwd was. Om haar hals, op haar voorhoofd en rond haar prachtige zwarte ogen bungelden als een ongrijpbaar dansmasker talloze fijne kettinkjes van gekleurde kraaltjes zacht heen en weer. Ze waren met eindeloos geduld en uitermate handig geregen tot een symmetrische elegantie waaraan geen spiegel te pas was gekomen. Ze omlijstten als een heel bijzondere make-up haar schuinstaande ogen, waar ontelbare vliegen bewegingloos, ongestoord en nietsvermoedend bevallige versieringen vormden als *points d'esprit* op de kanten voile van een hoed uit de tijd van koning Edward.

Ik strooide het zout rechtstreeks uit de plastic zak in haar roze handpalm, die ze ophield alsof ze een kopje tussen haar slanke zwarte vingers vast had. Ze likte er lachend en gulzig aan, alsof het een delicatesse was waarnaar ze lang had uitgekeken. Pas toen het op was en ik haar de rest van de zak had gegeven, keek ze me recht in de ogen en begon ze me vragen te stellen.

Ze sprak Swahili, wat in die tijd nogal ongebruikelijk was voor een Masai van de hooglanden, en daarom kon ik haar verstaan.

We hadden een typisch vrouwengesprek en een tijdlang voelden we de verbondenheid die ontstaat bij een handje zout in de eenzaamheid van de pasgeboren dag, wanneer de Masai-mannen met hun speren om zich tegen leeuwen en dieven te beschermen hun kudden naar vergelegen weiden brengen en de Europese mannen in hun haast om de verse buffelsporen te volgen, vergeten hebben hun thee op te drinken. Het enige waaraan te zien was dat Paolo hier vanochtend was geweest, was een nog dampende kop en de uitgetrapte peuk van zijn eerste sigaret.

Ze wist meteen dat er een man bij me hoorde.

'*Wapi bwana yako?*' ('Waar is je man?') vroeg ze, maar voordat ik kon antwoorden, vertelde ze me al over de hare. Het was het standaardverhaal van elke frisse schoonheid van haar stam en haar leeftijd, vlak na het besnijdenisritueel.

De jonge, knappe Moran-krijger die in de jaren dat strooptochten nog niet verboden waren al zoveel vee had vergaard dat hij zich een vrouw kon veroorloven, had haar zijn belangstelling laten blijken door haar een halssnoer te geven, dat zij had geaccepteerd. De verloofde moest nu de ouders benaderen: zijn eerste gift bestond traditiegetrouw uit honing die zij en de meisjes die samen met haar besneden waren – en daarom voor altijd haar zusters – zouden aanlengen met melk, om het mengsel daarna gezamenlijk op te drinken.

De aanstaande bruidegom was toen opnieuw grote hoeveelheden honing komen brengen, die ze hadden laten gisten en daarna gedistilleerd tot een koppige likeur die tijdens het feest door de ouderen zou worden gedronken. Toen was de jongeman erbij geroepen. Hen werd verteld – moge God het horen – dat zijn rituele gaven waren aanvaard, dat zijn verzoek was ingewilligd en dat niemand zijn bruid nu nog kon opeisen. Haar oude moeder had een lam gekregen en haar vader een kalf en gelooide schapenvellen voor een bruidsjurk. Op de trouwdag bracht de bruidegom twee kalveren en een stier mee, beide wit als de koele nieuwe maan. De traditie wilde dat ze gezond en sterk waren, zonder vlekken of littekens op de zachte, door de zon verwarmde huid. Een ram en twee eenjarige schapen werden geslacht, de ongelukkige offerdieren van Afrikaanse feesten; het vet van de arme ram werd gebruikt voor een ceremoniële zalving.

Op de vastgestelde dag verscheen de zon opnieuw als een gloeiende kalebas aan de horizon van alweer een indigoblauwe dageraad in Afrika. Haar hart sprong als een impala hoog op van vreugde en trots om haar speciale dag, en haar vriendinnen zongen met hoge stem een lied van geluk. Toen kwamen de oude vrouwen binnen. Ze overgoten haar met het honingaftreksel en, geholpen door haar trotse moeder die was beladen met al haar bruidsgeschenken, bevestigden ze tijdens een uitgebreid ritueel de versierselen aan haar been en oor.

Ik luisterde geboeid toe. Het verhaal werd bij stukjes en beetjes verteld; ik moedigde haar aan met vragen en een half pond suikerriet, waaraan ze nonchalant en vrolijk likte, zo uit de zak.

De zon stond al hoog aan de hemel en de cicaden maakten een oorverdovend kabaal, droog als het geluid van takjes die door duizenden onzichtbare handen tegen elkaar worden geslagen.

De lange, slanke vrouw gaapte en rekte zich uit. Ik begreep dat ze vandaag niet verder zou vertellen. Ze keek om zich heen en zag het groene stuk zeep waarmee Paolo zijn handen had gewassen en dat nu op een steen lag te drogen. Ze wees ernaar met een plotselinge ruk van haar kin. Ze deed of ze ermee over haar arm wreef en rook met een verheerlijkte glimlach aan haar huid. Ik gaf het aan haar en zij smeerde de zeep knorrend van plezier als een crème over haar droge huid. De vliegen vlogen ongeïnteresseerd en loom op van de beweeglijke ledematen en daalden ogenblikkelijk weer neer.

Ik vroeg hoeveel kinderen ze had gebaard. Ze dacht even na en stak drie vingers op, maar daarna klopte ze krachtig op haar buik.

'*Mimi ni mimba tena,*' verklaarde ze trots met een hoofdbeweging. ('Ik ben weer zwanger.') Haar stem had de ondertoon van een klokje bij het ochtendgloren.

Ik verbaasde me hardop over haar slanke gestalte. Ze legde uit dat de Masai ervoor zorgden dat zwangere moeders niet te zwaar werden, omdat dit gevaarlijk voor de baby zou zijn. Moderne opvatting. Maar zwangere vrouwen hadden het unieke voorrecht vlees te mogen eten: een verbazingwekkende luxe voor deze stam die zich voedt met gestremde melk en bloed en urine van het vee. Meestal wordt alleen gestolen vlees gegeten, nooit het vlees van het eigen vee.

Ze stond in één vloeiende beweging op en taxeerde me met een vrijpostige, uitdagende blik in haar ogen. Ineens nieuwsgierig vroeg ze: '*Bwana yako ulilipa ngombe na njau ngapi kwa baba yako kuoha wewe?*' Ze wilde weten hoeveel koeien en kalveren mijn bwana aan mijn vader had betaald voor mij. Lichtelijk vernederd door deze Europese tekortkoming probeerde ik uit te leggen dat wij in onze traditie, in het land Ulaia waar ik vandaan kwam, een andere *desturi* hadden.

'*Yetu ni desturi ingine.*'

Desturi is Swahili voor 'gewoonte', een magisch woord om het onverklaarbare uit te leggen. Gewoonten zijn heilig, niet aan twijfel onderhevig en worden ogenblikkelijk en zonder terughoudendheid aanvaard. Ik had me vaak achter het excuus van een andere desturi verscholen, wat me heel wat vermoedelijk pijnlijke uitleg heeft bespaard.

Het was wel duidelijk dat zij deze desturi van ons beneden de maat vond en heel even dacht ik er ook zo over. Ze gaf geen commentaar. Ze trok alleen even nauwelijks merkbaar haar schouders op als om de onbegrijpelijke gierigheid van die *wasungu* van zich af te schudden.

Met rinkelende enkelbanden stond ze op, licht door haar magerte, zonder een afdruk achter te laten in het stof waar we samen hadden gezeten. Met natuurlijke bevalligheid opende ze het kledingstuk van huiden dat als een peplos haar borst bedekte en ontblootte ze twee hangborsten, gezwollen als langwerpige buidels. Ze lichtte er een met duim en wijsvinger op en kneep erin met het gebaar van een ervaren melker: een lange, melkwitte straal spoot rakelings langs mijn gezicht en kwam met een scherp geluid op de twijgjes neer. Met een trotse knik van haar hoofd nodigde ze me uit hetzelfde te doen, maar nog voordat ik mijn nederlaag kon erkennen, strekte ze haar rug en in haar vrijpostige, lachende blik ontwaarde ik een uitdagende twinkeling.

Een briesje ritselde ineens door de boomtoppen, beroerde onze gezichten en was meteen weer vergeten.

Ze liep zwijgend weg door de lage saliestruiken, het hoofd opgeheven, zoals ze ook was verschenen.

Mwtua

*Dis aliter visum.**

VERGILIUS, *Aeneis* II, 428

Hij was een kleine, altijd lachende man met kort grijzend haar, kleine ogen die oplichtten in zijn voortdurende glimlach, hij was altijd bereid de handen uit de mouwen te steken en bezat dezelfde innerlijke onschuld als de heiligen van eenvoudige komaf uit de bijbelverhalen. Hij was al jaren mijn huisknecht in Nairobi, een betrouwbare kerel die door iedereen werd gerespecteerd, dol op honden en vriendelijk voor kinderen. Hij was niet bijster slim,

* De goden dachten er anders over.

misschien zelfs een beetje simpel, en zijn zinnen eindigden vaak in een pijnlijk gestotter, maar zijn goedmoedigheid en bereidwilligheid maakten zijn gebrek aan initiatief ruimschoots goed.

Ik had de laatste tijd gemerkt dat hij er oud uitzag en steeds meer vergat. Zijn gestamel was verergerd, waardoor hij het nog moeilijker vond om snel te antwoorden en ik om te begrijpen wat hij bedoelde. Hij streek als de beste, maar zijn ogen leken hem in de steek te laten, want vaak vond ik kinderkleren tussen de mijne en onbekende truien tussen mijn blouses.

Hij zag er moe uit en begon te schuifelen. Ik had me al afgevraagd of hij niet met pensioen moest, terug naar Kitui waar hij vandaan kwam, om voor zijn kleinkinderen te zorgen en voor de kleine *shamba* die hij in de loop der jaren had kunnen kopen.

Hij wilde niet weg, en alsof hij aanvoelde dat ik hem binnenkort zou zeggen dat hij moest terugkeren naar huis om de rest van zijn levensdagen in alle rust te slijten, deed hij nog beter zijn best en werkte hij harder en langer als om mij te bewijzen dat hij nog heel wat jaren mee kon.

Toen we op een avond na een dineetje laat terugkwamen bij mijn huis in Gigiri, verscheen niet de bewaker, maar een vreemd mannetje in een veel te grote overjas bij het hek. Het duurde eindeloos voor hij het slot open had gekregen. De te grote helm op het kleine grijze hoofd zakte bijna over zijn ogen, maar kon de vrolijke, bijna fanatieke grijns niet verhullen: het was Mwtua. De *askari* had plotseling een aanval van malaria gekregen en Mwtua had zijn hulp aangeboden. Hij zat nu de hele nacht in de kou trouw mijn huis te bewaken.

Desondanks besefte ik dat Mwtua weg moest, maar ik wachtte het juiste moment af om het hem te vertellen.

Het mistte die ochtend in Nairobi en toen ik via de radio contact probeerde te krijgen met Laikipia, leek er iets mis te zijn met de ontvangst. Het had de vorige avond hard geregend en ik vroeg me af of de ongewoon sterke atmosferische storing werd veroorzaakt door een tak die op de antenne was gevallen.

Ik riep het dienstmeisje Wangari; een nicht van Mwtua, en

vroeg haar een tuinman te zoeken om te kijken of de antenne nog wel overeind stond. Ze bleef een paar minuten weg.

'*Ndio*,' legde ze uit. '*Aerial naaunguka. Lakini Mwtua nasema yeye nawesa kutanganesa*.' ('Inderdaad, de antenne is gevallen, maar Mwtua zegt dat hij hem wel kan maken.')

Ik glimlachte. Typisch Mwtua. Daar was natuurlijk geen sprake van. De antenne stond boven in de hoogste boom; de monteurs uit Wilken hadden een speciale ladder nodig gehad om hem te installeren. Je kon er alleen op die manier bij.

'Ik bel de onderhoudsdienst wel,' zei ik tegen Wangari. 'Zeg maar tegen Mwtua dat wij er zelf voor zullen zorgen.'

De telefoon rinkelde en ik nam op. Daarna probeerde ik de onderhoudsdienst te bellen, maar de lijn was bezet. Ik zag dat het inmiddels weer was gaan motregenen. Ik keek uit het raam naar buiten. Er stond een korte houten ladder midden op het gazon tegen de Kaapse kastanje, de hoogste boom in de tuin, de boom waarin de antenne was bevestigd.

Een ladder? Waarom? Met een plotseling angstig voorgevoel pakte ik mijn bril. Ik keek. Ja hoor, tussen de takken vol bladeren, nauwelijks zichtbaar in zijn groene uniform, zag ik Mwtua handig en snel naar de antenne klimmen. Ik hield mijn adem in: dit was onmogelijk. De takken bij de top waren zo dun, veel te dun om een mens te kunnen dragen.

De Kisii en Mkamba zijn echte bosmensen; ze werken graag met hout en weten alles van bomen. Als ze als kleine kinderen de geiten en runderen in het woud hoeden, leren ze in de bomen te klimmen om fruit en honing te bemachtigen of om vogelnesten uit te halen. Maar deze boom was veel te hoog en nat van de regen. De takken zwiepten heen en weer en waren niet veilig. Mwtua was te oud om in bomen te klimmen.

Ik wilde net het raam opendoen om hem terug te roepen, toen me ineens iets aan hem opviel.

Het leek wel of er in die boom een verandering over hem was gekomen. De stijfheid van de bejaarde man was verdwenen alsof hij een oude huid had afgeworpen. Ik zag een jonge Mwtua die met gemakkelijke, vloeiende bewegingen kwiek en behendig naar boven klom. De dunne armen en benen leken zich zonder enige moeite, bijna als grijpstaarten om de takken te slingeren. Maar het meest opmerkelijke was nog wel de verandering in zijn ogen. Ze waren wijd opengesperd, met veel meer oogwit dan anders, bijna lichtgevend, en zijn strakke blik had een haast dierlijke concentratie. Hij deed me vreemd genoeg denken aan een *galago* die ik ooit had gehad.

Ik vergat adem te halen en keek gebiologeerd toe. Een verdieping lager hield Wanjiru Mwtua met dezelfde ongerustheid in de gaten door het keukenraam en later bleek dat ze precies hetzelfde had gedacht als ik.

Er was beslist iets met Mwtua gebeurd in die boom.

De metamorfose was zo totaal en hij ging zo volkomen op in zijn wereld van boomtoppen, bladeren en lucht, dat ik bang was hem aan het schrikken te maken als ik het raam opendeed. Ik besloot zijn aandacht te trekken door op het raam te tikken.

Hij leek het eerst niet te horen, maar toen keek hij even opzij, als een vogel die wordt verrast door een vreemd geluid. Op datzelfde moment rinkelde de telefoon in mijn kamer. Ik nam op en keek pas weer om toen ik de hoorn neerlegde.

Het regende nu hard en door het regengordijn heen zag ik tot mijn eeuwige afschuw op dat vreselijke moment de boomtop heftig bewegen. In slow motion, als in een nachtmerrie, zag ik Mwtua voor mijn ogen met het hoofd naar beneden op het gazon belanden, in een regen van bladeren en zelf gelijkend op een blad. Hij bleef doodstil liggen.

Een dunne afgebroken tak viel tegelijk met hem op de grond en de kabel van de radio slingerde als een nutteloze liaan eenzaam heen en weer. Ik opende het raam om het beter te kunnen zien.

Daar lag een zielig hoopje mens, aandoenlijk klein in de groene kleren. Met een brok in mijn keel besefte ik dat hij dood moest zijn. Niemand kon van zo'n hoogte op zijn hoofd vallen zonder zijn nek te breken.

Na een voor mijn gevoel eindeloze stilte was het ineens een drukte van belang. Als toeschouwers die na de voorstelling het toneel op rennen, stormden de tuinman, de shamba-vrouw en Wanjiru op Mwtua af alsof ze hadden staan wachten tot ze in actie konden komen. Wanjiru trok haar schort over haar hoofd, hief haar handen ten hemel en begon met een nieuwe, wilde stem die mij rillingen bezorgde in een onbekende taal een spookachtige, oude klaagzang te jammeren.

Ze was al bij hem. Ik zag dat ze haar schoenen had uitgeschopt om sneller te kunnen lopen.

'Blijf van hem af!' schreeuwde ik uit het raam. Ik was bang dat zijn toestand door onoordeelkundig handelen zou verergeren, mocht hij door een speling van het lot nog leven.

'*Kwishia kufa?*' ('Is hij dood?') riep ik, biddend dat er een eind kwam aan deze nachtmerrie, hopend dat ik de klok kon terugdraaien.

'*Badu!*' ('Nog niet!') riep Wanjiru terug.

Een dokter. Er was geen tijd te verliezen en ik wist dat de juiste actie het verschil tussen leven en dood kon betekenen. Vliegensvlug draaide ik het privé-nummer van een Italiaanse hersenchirurg, een geweldige vriend die bij elke calamiteit mijn ziekenhuiscontact is. Zo vermeed ik tekst en uitleg aan een telefonist.

'Marieke,' smeekte ik zijn vrouw, 'Mwtua is uit een boom gevallen en ik geloof dat hij dood is. Zeg alsjeblieft tegen Renato dat ik hem nu naar het ziekenhuis in Nairobi breng.'

Ze was zelf verpleegster geweest en verloor geen tijd met het stellen van nutteloze vragen. Ik smeet de hoorn op de haak en rende naar beneden.

Omringd door jammerende mensen lag Mwtua met gesloten ogen in de foetushouding op de grond met aan zijn wang nog een paar grassprietjes. Hij leek dood te zijn. Ik voelde de diepe innerlijke stilte die voorafgaat aan onherroepelijke wanhoop en in deze geluidloze wereld knielde ik naast hem neer.

Ik dwong mezelf een van zijn ogen te openen – de huid voelde koud en klam aan – en de pupil te beroeren met een blaadje. Tot mijn geweldige opluchting trok de pupil zich samen en bewoog het oog even. Een rilling doorvoer zijn lichaam: hij leefde! Geluiden drongen weer tot mij door en ik hoorde hem nu raspend en stotend ademhalen. Ik legde mijn hand op zijn rug en masseerde hem, zei zacht zijn naam. Parelend speeksel vermengd met gras schuimde uit zijn mond.

We legden hem in een deken gewikkeld achter in mijn auto en reden naar het ziekenhuis. Hij rilde, maar was bewusteloos en maakte schokkerige bewegingen in zijn slaap alsof hij droomde dat hij nog steeds in de boom klom.

Hij werd regelrecht naar de intensive care gebracht en de machines die Renato Ruberti aanzette, begonnen efficiënt om hem heen te zoemen. Renato nam zijn temperatuur op, onderzocht de reflexen, maakte röntgenfoto's en scans en voerde vlot en geroutineerd nog allerlei andere onderzoeken uit.

Toen keek hij me aan met Mwtua's pols nog in zijn hand. De intelligente ogen achter de bril staarden me lang aan voordat hij sprak. Ik slikte.

Een gebroken nek? Een schedelbasisfractuur? Een verbrijzelde borstkas? Een blijvend coma? Hersenbeschadiging? Over een paar minuten dood?

Plotseling begon hij te grijnzen: 'Je zult het niet geloven,' sprak hij lijzig in het Italiaans, 'er is helemaal niets met hem aan de hand. Alleen een lichte hersenschudding. Een boom van dertig meter, zei je?' Hij schudde zijn hoofd. 'Hij heeft niet eens een gekneusde rib, geen krasje. Ik hoef zelfs geen pleister te plakken.'

Iedereen juichte, accepteerde zijn redding als pure magie en dankte God die over leven en sterven beslist, want in Zijn wijsheid had Hij Mwtua, die geen kwaad kende, gespaard.

In zijn dorp werden missen opgedragen in de missiekerk, maar er werden ook speciale stamfeesten gehouden om zowel de nieuwe als de oude goden te danken en tevreden te stellen. En enige tijd later kwam er een hele stroom mensen op bezoek.

Voor de zekerheid liet ik hem een week op de intensive care in het ziekenhuis. Hij sliep vrijwel de hele tijd en werd op gezette tijden wakker gemaakt voor zijn eten. De bezoekers keken zwijgend naar hem, vol ontzag en met een respect en hoogachting alleen weggelegd voor een *muganga*.

Volgens hen was er een wonder gebeurd. In hun verhalen werd

de boom steeds hoger, had een heilige macht Mwtua opgelicht en had een vogel zijn val vertraagd. Het avontuur werd steeds kleurrijker en elke keer werden er nieuwe details aan toegevoegd, zoals altijd bij legenden.

Wanjiru zei dat God van mij hield en het niet toestond dat een dergelijke tragedie een smet op mijn *boma* wierp. Bij de meeste Keniaanse stammen werden de mensen die op sterven lagen van oudsher buiten het dorp gebracht, omdat een huis waarin iemand was gestorven onrein was en afgebrand moest worden.

Hoewel hij er wonderlijk genadig was afgekomen, was er wel iets in zijn hoofd geknapt. Hij stapte wezenloos rond met een eeuwige, gelukzalige grijns op zijn gezicht. Niets leek hem meer te raken. Hij glimlachte nog vaker dan vroeger en liep in zichzelf te mompelen, speelde veel met de jonge hondjes en zat verdwaasd voor zijn huis op het personeelsterrein, verzorgd door zijn vrouw die uit het dorp was overgekomen, doelloos voor zich uit starend alsof hij mysterieuze beelden in zijn hoofd bestudeerde.

De artsen stelden voor dat hij als therapie simpel werk ging doen en Wanjiru liet hem eenvoudige klusjes opknappen, zoals zilver en schoenen poetsen. Hij wierp zich enthousiast op zijn taak, maar hij poetste de zolen in plaats van de bovenkant van de schoenen, en we gaven het al snel op.

Uiteindelijk keerde hij terug naar zijn dorp. Hij verheugde zich erop met zijn kleinkinderen te kunnen spelen en rustig bij zijn shamba te zitten, zoals een oude man betaamt.

Het speet me hem te moeten laten gaan. Maar toen hij gekleed in een oude jas van Paolo uitgebreid afscheid nam, steeds weer mijn en Sveva's hand schuddend alsof hij ze niet wilde loslaten, en beloofde dat hij zo snel mogelijk zou terugkomen, merkten we tot onze verbazing dat hij helemaal niet meer stotterde.

De mensenhaai van Vuma

De oude man wist dat de haai dood was, maar de haai wilde dat niet accepteren.
ERNEST HEMINGWAY, *The Old Man and the Sea*

In de Indische Oceaan, tussen de fjorden van Taka Ungu en Vipingo aan de noordkust van Kenia, liggen de ondiepten van Vuma.

De zandbanken bestaan uit vlakke, overstroomde prairies, overdekt met lange slierten zeewier die uit oude koraaltuinen groeien. De bleke, groengrijze bladen van de planten wuiven zonder ophouden in de rusteloze stromingen onder water. Ze huiveren en schudden hun lome manen, als savannegras dat buigt onder de onzichtbare vingers van de wind op de hooglanden.

Grote scholen van de meest uiteenlopende soorten vissen komen hier eten vanuit de zwarte diepten van de oceaan, zoals de gazellen en antilopen op de vlakten van Engelesha. En roofdieren komen er natuurlijk ook.

De wateren van Vuma staan bekend om de grote aantallen haaien die in het duister rond de ondiepten op de loer liggen. Ze duiken ineens op en richten een slachtpartij aan onder de etende vissen. Net als alle carnivoren en aaseters worden ze aangetrokken door de schokkerige, onregelmatige bewegingen die verraden dat er een dier in nood verkeert en door de geur van bloed die zich in dikke, bleekrode wolken in het water verspreidt, zoals elke geur in iedere wind.

Vuma had een sinistere reputatie verworven doordat er een aantal daho's in opeenvolgende stormen was gezonken en de schipbreukelingen door haaien waren verzwolgen. Het was een van de verhalen die meteen werden verteld als dit oord ter sprake kwam.

Snel zwemmende vissen als cole-cole en tonijn, de kleinere roofvissen, waren vaak bij Vuma te vinden en in de koraalgrotten langs de randen van de verzonken hooglanden leefden grote rotskabeljauwen.

Op een wonderlijke manier was Vuma het equivalent ter zee van Laikipia met zijn plateau hoog op de kammen van de Riftvallei. Vuma was natuurlijk onweerstaanbaar voor Paolo, die er vaak vanuit Kilifi met zijn rubberbootje en zijn harpoengeweer heen ging. Een enkele keer nam hij een paar vrienden mee, maar meestal ging hij met Ben.

Ben was een lokale visser, een Swahili, en net als de meeste Swahili was hij moslim en droeg hij altijd een klein geborduurd kapje. De Swahili met hun Arabische bloed zagen er heel anders uit dan de Giriama, die de grootste bevolkingsgroep in Kilifi vormden en van de Bantoes afstamden.

Ben was klein maar gespierd en had brede schouders boven een compact lichaam. Hij had een korte, zwarte baard, een platte, puntige neus met grote neusgaten en intelligente, schalkse, schuinstaande ogen. Hij straalde een absoluut vertrouwen in zijn vaardigheden als zeeman uit – de arrogantie van een nobel ras dat trots is op zijn oude tradities – en een zekere guitige luiheid die hem vergeven was, want net als de meeste zonden aan de kust was ze goedmoedig van aard. Ze hoorde bij het heerlijke kustklimaat, de rijpe geuren van de vegetatie en het vochtige zand, van overrijpe mango's, kokosmelk en frangipani, korosho-noten die 's avonds worden geroosterd, in de zon gedroogde vis, specerijen en de vochtige passaatwind. Ben was een deel van Kilifi en als we hem zagen, wisten we dat we waren aangekomen.

Hij beschikte over de mysterieuze gave van de Afrikanen iets te weten zonder dat het is gezegd. Ben dook altijd onverwacht op het juiste moment uit het niets op. We waren nog geen uur in Kilifi of we hoorden Ben in de keuken mijn personeel uit Nairobi begroeten in het monotone Swahili van de kust. Dan kwam het geschuifel van zijn blote voeten onze kant op en zagen we hem met uitgestoken hand naar ons toe komen, luid onze naam roepend en bedelend om een sigaret. We mochten hem graag.

Vaak stonden zijn ogen glazig en waren zijn bewegingen trager, dromeriger. Door de geur van de joint tussen zijn lippen wisten we dan dat Ben weer eens *bhang* rookte. Deze gewoonte, die zoals hij zelf beweerde zijn gezichtsvermogen verscherpte en hem hielp de vissen beter te zien onder water, werd geaccepteerd als iets wat bij hem hoorde en leverde hem de bijnaam 'Bhangy-Ben' op.

Ben was een uitstekende, geboren visser met een oprechte liefde voor de oceaan. Hij genoot vooral van de jacht op marlijn en hij was steevast de eerste die de rondfladderende zeemeeuwen aan de horizon zag die naar voedsel zochten, en dan wist hij dat daar een school sardines zwom. De sardines werden altijd achternagezeten door hongerige bonito-tonijnen en die weer door zeilvissen of marlijnen. Hij kende de geheimen van de getijden en de gewoonten van de vissen even goed als de spoorvolgers van de hooglanden het wild kenden dat ze beslopen.

Ben deed me altijd aan Luka denken, de onnavolgbare Tharaka-jager die Paolo op menig avontuur vergezelde, die kon denken als de buffels en ze in het dichte struikgewas kon vinden door alleen maar naar de ossenpikker te luisteren, je zou bijna denken door alleen maar de lucht met wijd opengesperde neusgaten op te snuiven.

Ze hadden beiden een zelfverzekerdheid over zich die voortkwam uit de volmaakte beheersing van hun vak en een absoluut inzicht in de achtergrond ervan, de Indische Oceaan en de savanne van de hoogvlakte. Ieder op hun eigen manier waren ze ervan overtuigd dat hun aanwezigheid onmisbaar was als Paolo ging vissen of jagen, en misschien was dat ook wel zo.

Ben had de leiding bij de meeste visavonturen van Paolo: toen ze de enorme rotskabeljauw binnenhaalden en toen ze zonder gebruik van visstoeltje of gordel de zwarte marlijn vingen na uren in een rubberbootje op de deinende oceaan te hebben gestaan. Dat leverde Paolo zijn eerste vistrofee op.

Ons huis in Kilifi was van een Italiaanse vriend die op een haciënda in Argentinië woonde en hier alleen was geweest toen het huis werd gebouwd, tien jaar geleden. Met Latijnse gastvrijheid liet hij ons er onbeperkt gebruik van maken en wij beschouwden het als ons thuis aan de kust.

De tuin was een ordeloze wirwar van bougainvillea en nachtschade met enkele palmen en een schitterende apenbroodboom, een volmaakt harmonieus geproportioneerde reus die me zeer dierbaar was. Ik gaf hem zoals alle bomen een ziel, een ziel die ik graag mocht. Ik zat er elke dag urenlang met mijn rug tegenaan te peinzen, in mijn dagboek te schrijven en te wachten tot Paolo en Emanuele terugkwamen van het vissen. Het waren vredige uren waarin ik een aantal zaken op een rijtje kon zetten en een paar vluchtige dichtregels kon opschrijven voor ze vervlogen in de wind.

Zoals Odysseus op andere zeeën en zoals alle zeemannen beleefden Paolo en Ema talloze avonturen die ze thuis vertelden. De reusachtige kabeljauw die ze samen met Lorenzo Ricciardi hadden geharpoeneerd; de dolfijnen die een oceaandans hadden uitgevoerd; de zeilvis die ervandoor was gegaan met het lokaas; de *upupa* die uit het niets was opgedoken en op Paolo's haar was geland. En dan was er nog het verhaal over de mensenhaai van Vuma.

Paolo was op een januariochtend met zijn broer en een vriend bij Vuma op cole-cole gaan vissen. Dat was in de tijd dat hij dol was op vissen met een speer. Zonder zuurstoffles, alleen met een masker en een snorkel, dook hij onbevreesd naar de diepte. Ik was altijd bang dat zijn longen het zouden begeven, maar hij kwam na wat mij een eeuwigheid toescheen weer boven, totaal niet buiten adem, met een vis aan zijn speer en een blauwe blik van triomf op zijn gebruinde gezicht.

Ben kon die dag niet mee. Hij was al vroeg komen vertellen dat zijn lieve Swahili-vrouw hem die nacht weer een kind had geschonken, opnieuw een zoon. Voor moslims is dit een serieuze aangelegenheid die plechtig gevierd moet worden. Aangezien hij niet mee kon, vond hij dat iedereen maar thuis moest blijven of met mij mee moest gaan winkelen in de haven van Mombasa.

Ben vond het niet prettig als hij niet met Paolo mee kon en hij zorgde ervoor dat iedereen goed doordrongen raakte van zijn afkeuring, alsof zijn aanwezigheid essentieel was voor de goede afloop van elk avontuur en de boot en zijn gebruikers in zijn afwezigheid onbekende rampspoeden zouden overkomen.

Hij had het vaak over de onberekenbare djinns die op de zeewind vliegen en onheil veroorzaken en onvoorzichtigen, ongelovigen en onwetenden in chaos dompelen. Hij schepte nogal eens op over gebeurtenissen waarbij naar zijn mening alleen zijn aanwezigheid het gevaar had bezworen: de boot was niet gekapseisd toen er achter elkaar drie marlijnen waren gevangen; het was alleen hun gelukt voldoende aas te bemachtigen en een geelvintonijn te vinden in de maand augustus wanneer de vissers die de risico's kennen zich, om het noodlot niet te tarten, nooit te ver uit het koraalrif wagen, want de passaatwind is dan zo hevig dat alle vissen verdwenen lijken te zijn en alleen de reusachtige pijlinktvissen van de diepten nog overblijven, en de zeekreeften die geen ziel hebben.

Zich niets aantrekkend van de sombere voorspellingen gingen ze vrolijk op pad en lieten Ben hoofdschuddend en mompelend in de deuropening achter.

Ik ging die dag naar Mombasa om in de bazaars kanga's en manden te kopen. Toen ik thuiskwam, voelde ik nog voordat ik uit de auto stapte dat er iets was gebeurd. Niemand kwam me begroeten. Er was niemand thuis. Vanaf de drempel van de lege keuken zat een kat me loom aan te kijken. Het was een onbekende kat die ik nooit eerder had gezien. Een vriend, de eigenaar van de Kilifiplantage, die alle legenden van de kust kende, had me verteld dat de Giriama nooit een bedelende straatkat verjoegen, omdat ze geloofden dat hij de teruggekeerde ziel van een overledene was. Met deze gedachte in mijn achterhoofd keek ik over de rand van de klip.

Op het strand zag ik een kleine menigte staan. Omringd door de kinderen, onze vrienden, het personeel en heel wat voorbijgangers knielde Paolo naast de grootste vis die ik ooit had gezien. De witte, naar de zon gekeerde buik werd onderbroken door de lelijke lijn van een bek als een voetangel met gebogen tanden. Een driehoekige vin stak uit zijn grijze rug en ondanks zijn weerloze slapte zag hij er nog steeds gevaarlijk uit.

Hij was dood en hij was een haai.

En toen kwam het verhaal.

Na een lange ochtend vissen was Paolo vanuit de diepte van Vuma teruggezwommen naar de oppervlakte met zijn nog bewegende en levende prooi, een gewonde cole-cole, aan zijn riem gebonden. Vlak voordat hij bovenkwam, keek Paolo naar beneden, gewaarschuwd door het instinct van de jager dat het verschil tussen leven en dood bepaalt. Onder hem kwam een vis vanuit de inktzwarte duisternis snel dichterbij; hij groeide en groeide alsof hij steeds verder werd vergroot door een onzichtbare lens.

Op een paar meter van Paolo stopte hij en beefde even: hij concentreerde zich alvorens met een ruk tot de aanval over te gaan. De snuit week als een masker en ontblootte twee gebogen rijen angstaanjagend lange tanden. De koude ronde ogen keken Paolo strak aan.

Het was een mensenhaai, de soort die het vaakst aanvalt en zeelieden verslindt. Het was te laat om in de boot te klimmen, te laat om de gewonde vis los te laten. In het water, alleen met de haai, verloor Paolo geen tijd met nadenken. Hij greep het geladen harpoengeweer tussen zijn benen en richtte het recht op de kop van de haai. Op het moment dat de haai wilde aanvallen, liet hij de harpoen gaan.

De kop van de speer drong recht het voorhoofd binnen en de haai stopte sidderend. Tot zijn ongelooflijke opluchting zag Paolo hem in de diepte verdwijnen. Hij zonk als een baksteen, werd steeds kleiner en was al bijna uit het zicht in de diepte verdwenen, tientallen meters touw en de ballon met zich meetrekkend.

Paolo was in veiligheid, hij was opgetogen, de adrenaline spoot door zijn aderen, en hij klom in de boot waar zijn vrienden angstig hadden toegekeken. Samen trokken ze het reusachtige, verstijfde beest met grote moeite aan boord.

Hij was bijna even lang als de boot, zwaar, de snuit nog verwrongen en de glazige ogen uitdrukkingsloos. Ze wrikten de bek open om de tanden te zien, ze te betasten en zich te verbazen over de afmetingen. Ze bonden het lichaam met touw aan de boot vast om hem mee terug te nemen en aan ons te laten zien, en ze startten de motor.

Evenals buffels, en leeuwen vaak ook, hebben haaien een tweede leven. Voordat de motor pruttelend op gang kwam, begon de haai te stuiptrekken. De plooien ontspanden zich toen hij opsprong in een poging zijn boeien los te rukken; hij belandde in het water en zwom met touw en al met enorme kracht weg, de rubberboot, Paolo en zijn vrienden achter zich aan slepend.

Hier pauzeerde Paolo even en keek uit effectbejag de kring rond.

Op het strand van Kilifi, op het heetst van de dag, met het glinsterende rif op de achtergrond, de golfjes van de eb vriendelijk kabbelend tegen de kust en de palmbladeren ruisend in de wind, kon je een kokosnoot op het zand horen vallen. Paolo's publiek luisterde ademloos toe. Hij vertelde verder.

In de kwetsbare rubberboot die woest over de zee werd voortgetrokken, was de chaos compleet, zoals we ons wel konden voorstellen. Met veel moeite slaagden ze erin de situatie meester te worden. De motor kwam sputterend tot leven en begon de boot de andere kant op te trekken. De vis, misschien verzwakt, gaf het op en het water drong zijn kieuwen binnen. En zo, terwijl hij achterwaarts werd voortgetrokken, verdronk hij.

De terugvaart over de zonovergoten, roerige zee, in een bom van rubber en met een zware last die nog niet helemaal dood was, duurde uren.

Het verhaal dat ons werd verteld, had de kleuren en klanken van een epische zeesage. Homerus en zijn mythische sirenen verbleekten bij dit uit het leven gegrepen drama. Niemand kon zo goed verhalen vertellen als Paolo. We hingen gebiologeerd aan zijn lippen.

Uiteindelijk werd de haai met man en macht op de laadbak van de pick-up geladen en in triomf naar de Mnaraniclub gereden. De weegschaal daar, goed voor marlijnen en zeilvissen, bleek niet groot genoeg. En met een stoet van supporters achter zich aan gingen Paolo en zijn vrienden het beest wegen op de grote weegschaal van de Kilifiplantage.

De haai woog tweehonderdtweeënveertig kilo. Er werden een paar foto's genomen, waarvan er een in de *East African Standard* verscheen met het onderschrift: 'Mr. Paulo Gullman, een visser uit het binnenland, met een mensenhaai van 242 kilo.'

'Opmerkelijk,' was het commentaar van een lid van de conservatieve visclub en hij lurkte aan zijn pijp. 'Jammer dat hij geen hengel heeft gebruikt. Dat zou een Afrikaans record zijn geweest.'

Er werd nog weken nagepraat over dit avontuur. De enige die niet onder de indruk leek, was Ben.

'*Kama mimi alikua uko nikushika samaki, hio papa awessi kukaribia,*' mopperde hij in zichzelf, schuddend met zijn kapje. ('Als ik erbij was geweest, had die haai nooit durven aanvallen.')

Niemand nam de moeite dat te ontkennen, en misschien had hij wel gelijk.

Langat

Als we bouwen, moeten we ervan uitgaan dat we
voor de eeuwigheid bouwen.
JOHN RUSKIN, *The Seven Lamps of Architecture*

Om twaalf uur 's middags kwam er een vrouw over de weg aangelopen, oud, krom en gekleed in vodden. Ze schuifelde op blote, knobbelige, met stof overdekte voeten naar me toe. Het was droog en heet op Kuti. Weer waren de regens niet gekomen.

Ik keek haar aan: een afgetobd gezicht, een verkleurde zakdoek om haar grijze hoofd, uitgerekte oorlellen, vrijwel geen tanden meer. Maar misschien was ze toch nog niet zo oud. Ze begroette me. Ik beantwoordde haar groet en bleef wachten.

'Ik heb honger,' zei ze in gebrekkig Swahili. 'Ik kom van ver.'

'Wie ben je?' Ik voelde in mijn zak.

Een vage herinnering aan ogen die ooit helderder waren, een verdwenen twinkeling, trots, de waardigheid van een huwelijk met een goede man.

'Ik was de vrouw van Langat.'

De herinneringen keerden als rennende kinderen terug.

Toen we besloten hadden het huis te bouwen, riep Paolo de *fundi's* bij zich en stelde hen aan me voor.

'Dit is Arap Langat,' zei hij en ik keek in heldere, grijze, wijze ogen die niet knipperden.

Langat was klein en bijna plomp te noemen. Hij had kort, spierwit haar, een donker, rond gezicht met een kleine neus en brede jukbeenderen, regelmatige witte tanden die niet aangetast waren door de jaren en het pruimen van tabak. Zijn oorlellen waren uitgerekt – zoals bij alle Nandi – en raakten zijn schouders.

Wat me vooral trof – afgezien van zijn ogen die strak en priemend recht in de mijne keken als om me te taxeren – was zijn zelfverzekerde waardigheid en de rust die van hem uitging. Ik begreep later dat dit kwam doordat hij wist wat hij waard was en alle aspecten van zijn vak verstond. Hij hield van zijn werk en was er trots op.

Nguare en Lwokwolognei waren zijn helpers. Nguare was een Kikuyu van middelbare leeftijd die gespecialiseerd was in houtbewerking. Zijn naam – die niet bij hem paste aangezien hij een serieuze, trage en stille man was die zich schuifelend voortbewoog en over het algemeen slecht passende kleren droeg – betekent in het Swahili 'frankolijn', het oplettende, schuwe beestje dat altijd wegduikt in het struikgewas langs de wegen. Hij had een geelbruin gezicht dat scherp contrasteerde met het diepe inktzwart van Arap Langat en Lwokwolognei. Nguare werkte uitermate langzaam en precies, en hij had de wonderlijke gewoonte altijd het laatste woord van een zin te herhalen.

In de gelaatstrekken van Afrikanen vind je – afgezien van de huidskleur – vaak verbazingwekkende gelijkenissen met mensen uit Europa. Nguare was de vrijwel identieke zwarte versie van een vriend uit de Veneto, Alvise, die ik allang uit het oog was verloren, en zijn glimlachende gezicht deed me altijd aan dat andere denken, in de droomwereld van mijn herinneringen omhuld door de optrekkende nevel van de lagune.

Het trio werd gecompleteerd door Lwokwolognei, de jongste en in die tijd nog min of meer in de leer. Hij was zo duizelingwekkend dun als alleen Turkana kunnen zijn en hij had een mager, glimmend gezicht en nog maar één oog dat extra helder glansde, als om het verlies van het andere te compenseren. We hebben nooit geweten hoe hij dat was kwijtgeraakt. Het permanent gesloten ooglid over de lege oogkas gaf zijn profiel de melancholische aanblik van een secretarisvogel. Lwokwolognei deed van alles, van metselen tot timmeren, maar hij blonk uit in houtsnijwerk, waarbij hij een fantasie en een gevoel voor kunst aan den dag legde die je maar zelden aantreft. Hij had een opgewekte jonge vrouw die Mary heette en ijverig geitenvellen opsierde met ingewikkelde patronen van kralen en schelpen. Op een dag stierf ze in het kraambed en sinds die tijd lachte Lwokwolognei haast nooit meer.

We hadden nog maar kort daarvoor dit enorme stuk land op de Keniaanse hooglanden op de kam van de grote Riftvallei gekocht. Enkele jaren eerder waren we vanuit Italië hierheen geëmigreerd. We moesten in Laikipia alles nog leren, alles nog opbouwen, en we trachtten onze dromen gestalte te geven.

Het bouwen van ons huis was een van de eerste stappen die we zetten en aangezien Paolo in zijn nieuwe onderneming al zoveel andere zaken aan zijn hoofd had, rustte de taak om uit te maken wat we nodig hadden en om toezicht te houden op het bouwen grotendeels op mijn schouders. Ik keek rond in de omgeving en trof er de materialen aan die de natuur als een gulle, slordige kunstenaar had geschapen en achtergelaten om door ons te worden ontdekt en gebruikt.

Ik paste bij voorkeur deze lokale materialen toe: stenen uit de rivier en rotsblokken van de heuvels, hout van de rode ceders in het oerwoud of van oude, kromme olijfbomen, uitgebleekt na vele tientallen jaren zon en gebeeldhouwd in fantastische vormen door de onovertroffen kunstzinnigheid van straffe winden.

Langat wist wat hij kon en hij slaagde erin mijn architectonische grillen te realiseren: hij liet zijn instincten en zijn sluimerende tribale fantasie de vrije loop en koppelde deze aan de stereotiepe Europese bouwmethoden die hij in zijn hoofd had moeten stampen toen hij nog in de leer was. Juist door deze combinatie van geïnspireerde intuïtie en verworven vakmanschap was hij zo'n uitmuntende bouwmeester.

Hij vond altijd precies wat ik wilde. Nadat we enkele keren samen hadden rondgereden op zoek naar stenen met een bijzondere vorm of bomen met een fraaie nerf en ik hem had aangewezen wat mij geschikt leek, pikte hij deze ongebruikelijke Europese extravagantie heel snel op. Geen keurig glad cement, maar ruige stenen; liever oude *mutamayo's* die de termieten hadden vergeten – of die te hard waren naar hun smaak – dan kant-en-klare fabrieksplanken; daken van gras en palmbladeren, nog geurend naar de wind en de savanne, in plaats van de glimmende golfplaten die tegenwoordig de Afrikaanse vlakten ontsieren.

We begonnen met de veranda en de zitkamer. Als we op een moeilijkheid stuitten, gingen Langat en ik zitten nadenken, bespraken het probleem met elkaar en vonden samen een esthetisch verantwoorde oplossing. Er werd een steen toegevoegd aan een tussenmuur of er juist uitgehaald, een muur werd verlaagd, het dak kreeg een scherpere knik en een deur een houten deurpost om een harmonieus geheel met de muren te vormen; een slimme boekenplank; de juiste verhoudingen van een verhoogde open haard naar Venetiaans model maar met cederhouten stijlen; de ronding van een verzonken bad... Arap Langat en ik deelden het plezier samen iets te bouwen wat goed was. We gingen in het bos van Engelesha een dode boom zoeken bij wijze van stut, olijfhout voor onze eettafel, een grote platte steen als stoel.

Toen het huis eindelijk klaar was en het *makuti*-dak erop zat, de meubels op hun plaats stonden en het koper was gepoetst, de antieke Ethiopische kleden op de rode plavuizen vloeren lagen en er planten en bloemen in de koperen potten stonden, had ik het gevoel dat ik een enorme prestatie had geleverd. Maar ik merkte algauw dat er iets niet in orde was. Er kwam een storend, onbestemd, vaag kruipgeluid uit het dak van palmbladeren dat ik niet durfde te duiden.

Maar Langat wel.

'*Memsaab*,' zei hij op een dag ernstig terwijl hij met zijn korte, ronde vinger naar het dak wees, '*iko nyoka kwa rufu*.' ('Er zitten wormen in het dak.')

Ik keek hem smekend aan. Maar hij ging verder. '*Wewe hapana sikia sawti? Aua nakulapole pole*.' ('Hoort u dat geluid niet? Ze eten het langzaam op.')

In de stilte meende ik het gesmak te horen van ontelbare bekjes die zich een weg door de bladeren boven mijn hoofd heen aten – of was dat het geritsel van de hibiscus in de wind? Ik schudde aan het houten geraamte van *poriti*-stijlen, gemaakt van mangrovebomen uit Lamu. Er viel tot mijn schrik een uiterst fijn poeder naar beneden: duizenden korreltjes verteerde dakbedekking. Het was afschuwelijk en ik moest het Paolo wel vertellen.

Als Paolo dat wilde, sloot hij zijn ogen voor de feiten. Als hij zou toegeven dat er wormen in ons dak zaten, moest hij in actie komen, alles overhoop halen en ogenblikkelijk ingrijpen om het probleem te verhelpen.

'Nee, ik geloof dat je je vergist,' zei hij met een bestudeerde onverschilligheid die ik niet geloofde. Hij had het ook gehoord. Hij schudde weinig overtuigend aan een balk en er viel poeder uit, maar dat was nog geen duidelijk bewijs van wormen.

'Stof. Ik denk dat het stof van de blaadjes is.' We wisten allebei dat er meer achter stak en Langat schudde veelbetekenend zijn hoofd. Een tijdlang lieten we het daarbij. Maar als een gesprek even stilviel, als het vrolijke geknetter van vuur overging in de stilte van gloeiende as, meenden we weer het geluid te horen van ontelbare beestjes die mijn huis opaten.

En al snel konden we er niet meer onderuit.

'Wat is dat?' vroeg Jasper Evans op een middag nuchter toen hij even langskwam voor een drankje. Hij keek geamuseerd in zijn bierglas. Wij ook en we zagen een vette worm als een razende rondzwemmen.

Toen diezelfde avond een andere worm in het soepbord van mijn moeder viel, moest Paolo wel toegeven dat ons dak vol met wormen zat en besloot hij het te behandelen. Hij klom op de speciaal uit Engelesha overgekomen gele tractor en als een ouderwetse landheer in een modern toernooi op een wonderlijk strijdros gezeten, richtte hij bijgestaan door Langat en alle fundi's een krachtige straal insecticide op het dak. Alle meubels waren weggehaald en het huis was weer leeg.

De behandeling duurde een paar dagen, maar de stank bleef nog weken hangen. 's Avonds aten we in onze slaapkamer en overdag onder de grote gele koortsboom op het gazon. Het dak kreeg nooit meer zijn oorspronkelijke, regelmatige patroon terug en de kinderen vergeleken het lachend met een ongekamde, verwaaide haardos.

De jaren gingen voorbij en toen het noodlot toesloeg, ging Langat beide keren mee om een grafsteen uit te zoeken. Het was vreemd om daar alleen te staan kijken naar de twintig, dertig mannen van de ranch die probeerden twee van de miljoenen zwerfkeien op te lichten van de plek in het verdorde struikgewas waar ze sinds het ontstaan van de aarde hadden gelegen, en die nu voor altijd in een groene tuin vol bloemen de plaats zouden markeren waar mijn mannen rustten.

Langat had beide keren de leiding, een kleine, kaarsrechte figuur met een rond, wit hoofd en uitgerekte, slingerende oorlellen.

Sinds die tijd nam hij als we elkaar tegenkwamen altijd mijn hand lang in de zijne, zonder die te schudden. Zijn leigrijze ogen glimlachten niet, maar hij legde er zijn genegenheid voor mij in, alsof zijn ogen donkere, vriendelijke vijvers waren die mijn glimlach weerspiegelden. Dat deed me goed.

Langats houding straalde een grote waardigheid, een kalme zelfverzekerdheid uit. Hij leek oud en wijs. Tot onze grote verrassing hoorden we op een dag dat hij een nieuwe vrouw had genomen. Het was een dik meisje met kleine, vreemde, bijna oosters scheefstaande ogen, jong genoeg om zijn kleindochter te zijn. Ze bracht haar dagen voornamelijk kletsend met de andere vrouwen door bij het kantoor van het Centrum, ondertussen ingewikkelde patronen breiend met helder gekleurd garen. Ze zag er uitermate zwanger uit. En Langat was bijzonder met zichzelf ingenomen. De eerste echtgenote ging terug naar Nandi om voor zijn shamba te zorgen, zoals de traditie voorschreef.

Enkele jaren geleden besloot ik de hut op de Mukutan, die in de loop der jaren was aangetast door het weer en de termieten, te verbouwen tot een permanent toevluchtsoord voor mezelf, waar ik me kon terugtrekken om mijn innerlijke stem terug te vinden.

Langat legde zijn ziel en zaligheid in deze taak: een vrijstaand huis zonder ramen of deuren, open voor wind, zon en maan, hoog op de klippen, de contouren van het landschap volgend, met uitzicht op de heuvels en de groene struiken die algauw zwart zouden zijn van de buffels. Ik zou er kunnen neerkijken op de beek waar veel hamerkopvogels en wolhalsooievaars komen, en luisteren naar kikkers, reuzenpadden en miljoenen krekels.

We bouwden een soort verzonken kuip van waaruit je over de heuvels kon kijken, een met schelpen ingelegd stenen bed en vier tussen stenen vastgezette steunpilaren van dode bomen met daarop een dak om trekkende zwaluwen een rustplaats te bieden.

Maar op een dag, toen de hut bijna af was, werd Langat ziek; vermoedelijk was het malaria. Hij werd naar het ziekenhuis in Ol Kalau gebracht. Voordat hij vertrok, wilde hij dat er een foto werd gemaakt van hem, Lwokwolognei en mij op het nog niet afgemaakte stenen bed.

Enkele dagen later, halverwege de week, vloog ik van Nairobi naar Laikipia met een Italiaanse vriend die me een dagje kwam bezoeken. We stopten bij de bouwplaats om het huis in aanbouw te bekijken.

Niemand sprak toen we uit de auto stapten. De mannen keken even op en lieten het hoofd zonder een woord te zeggen weer zakken.

Lwokwolognei was met langzame, gedachteloze streken bezig een stenen zetel te pleisteren. Hij keek op, zijn ene oog vol pijn, als een gewonde antilope. Met een schok besefte ik dat er iets verdrietigs, iets vreselijk verdrietigs was gebeurd. Ik legde mijn hand stevig op zijn schouder zodat hij zijn lange, dunne nek moest draaien om met zijn goede oog naar me op te kijken. De lege oogkas gaapte deerniswekkend. Hij zag er verloren uit, of misschien boos om een kwade, onbegrijpelijke wandaad van God.

'*Kitu gani? Kitu gani naharibu roho yako?*' ('Wat is er? Waarom ben je zo treurig?') vroeg ik rustig.

Alle mannen waren opgehouden met werken en wachtten af; de kwellende stilte waaraan je in Afrika moet leren wennen. Pas toen realiseerde ik me dat er iemand miste. Langat was niet teruggekomen en nog voordat Lwokwolognei sprak, wist ik het antwoord.

Hij was getroffen door een lichte aanval van malaria, gevolgd door een fatale. Ik zou Langat nooit meer levend terugzien.

'*Langat alikufa. Saa yake alipiga,*' ('Langat is dood. Zijn uur was gekomen') zei hij zonder omhaal, waarna hij weer aan het werk ging.

Ik voelde rond mijn eigen hart die bekende beklemming. Woede, een gevoel van verlatenheid. Weer was een band met mijn verleden voor altijd doorgesneden. Weer een vriend overleden. Die wijze twinkelogen, die uitgerekte oorlellen, zijn gezicht toen Ema was gestorven. En toch zullen zijn bouwwerken blijven staan zolang er heuvels zijn.

'*Ni shauri ya Mungu,*' ('Het is de wil van God') mompelde ik, de Afrikaanse verklaring voor het onverklaarbare en het onvermijdelijke. Ik voelde me klein en kwetsbaar in de nabijheid van de oneindigheid, maar toch ervoer ook ik opnieuw de wijsheid en de troost van die overtuiging.

'*Ni shauri ya Mungu,*' herhaalde Lwokwolognei. Iedereen knikte met treurige berusting. Dit is de manier waarop een Afrikaan de slagen van het lot aanvaardt.

Ik schudde in stilte ieders hand en reed weg. Mijn Italiaanse vriend had van dit alles niets begrepen.

Het verhaal van nungu nungu

Voor Gilfrid

Ze lieten een heleboel malle, kleine voetstapjes op het bed achter, vooral de kleine Benjamin.
BEATRICE POTTER, *The Tale of Benjamin Bunny*

Toen ik nog maar kort in Laikipia woonde, besloot ik een moestuin en een boomgaard in het met struiken begroeide stuk land achter het huis aan te leggen. Het lag tamelijk dicht bij de keuken, zodat het min of meer beschermd was tegen de diverse schadelijke dieren die zouden proberen de opbrengst te verschalken.

Olifanten waren dol op bananen en sinaasappelen, gazellen op sla, spinazie en broccoli en mollen op venkel, aardappelen, wortelen en alle knollen. Een ongelooflijke verscheidenheid aan ongedierte vrat zo'n beetje alles en de vogels ruimden de rest op, waaronder goddank ook de insecten.

Er werd een ingenieuze installatie aangelegd om de vogels te verjagen, weliswaar primitief en nogal rommelig, maar ze produceerde veel herrie met haar rammelende blikjes op palen, trillende draden, golvende netten en lange stroken in de wind flapperend plastic. Ze werd afwisselend opgebouwd, getest en weer afgedankt. De installatie werd bekroond met een indrukwekkende vogelverschrikker, gekleed in een van Paolo's oude jasjes en op zijn hoofd een vergeten strooien hoed van mijn moeder, die als een echte magiër vanaf een oude bezemsteel zijn wonderlijke orkest dirigeerde.

Rond de groentebedden werden Oostindische kers en afrikaantjes gepoot om de vliegende insecten met hun geur te verdrijven, bij de tomaten en de courgettes werd as uit de open haard gestrooid en bij de aardbeien legden we hooi om het kruipend gedierte te ontmoedigen. De tuin werd omheind met draadgaas dat sterk genoeg was om dikdik-antilopen te weerstaan.

'S Avonds stond de Tharaka askari op wacht met een primitieve, ouderwetse katapult die zijn nut had bewezen – met een dergelijke katapult had David Goliath gedood, vermoedde ik. Net zoals zijn bijbelse voorganger de mythische reus het hoofd had geboden, slingerde Sabino vanuit de schaduwen zijn ronde stenen precies tegen de rug van de olifanten die in de buurt van de guavebomen kwamen. Als woedend getrompetter door de nacht schalde, had hij zijn doel geraakt. Dit werd een pittoresk onderdeel van onze maaltijden en voor onze Europese gasten een bron van verbijsterd vermaak.

De olifanten leken zich er niets van aan te trekken. Toen we op een avond een vreselijk kabaal hoorden, renden we naar buiten om te zien wat er aan de hand was. Een van de jonge olifanten uit een groep van vijftig die de laatste tijd mijn bananenbomen had geplunderd, was gestruikeld en in de septic tank gevallen. Zijn kameraden trokken hem er weer uit. Zoals altijd bij dergelijke situaties had niemand een fototoestel bij de hand, maar de volgende dag bestelden we wel schrikdraad.

Uiteindelijk werd er een kooi van plaatgaas geplaatst om zelfs de brutaalste dwergvogeltjes weg te houden en werd mijn moestuin een soort onneembare vesting. Hoewel...

'*Muivi alikuja kukula mboga,*' ('Er heeft een dief aan de kool gezeten') verkondigde tuinman Seronera op een ochtend somber, terwijl hij me een half opgegeten koolblad liet zien. Kool groeit heel langzaam.

'*Alishimba shimu chini ya boma,*' ('Hij heeft een tunnel onder de afrastering door gegraven') lichtte hij toe. Daar hadden we niet aan gedacht. Hij schudde veelbetekenend en bewonderend zijn hoofd: '*Kumbe, hio kitu iko na akili!*' ('Verdraaid, dat beest is wel slim, zeg!') Hij haalde een lange, crème-met-bruin gestreepte stekel te voorschijn en legde uit: '*Ni nungu nungu, yeye napenda mboga saidi.*' ('Het is een stekelvarken, die is gek op kool.')

Ik ging kijken. En inderdaad, in de kruimelige, vette aarde die liefdevol werd bemest en begoten, waren kleine afdrukken als van peuterhandjes te zien. Er was een groot gat onder het net door gegraven en het spoor leidde onverbiddelijk naar de kolen. De dief had er gulzig van gesnoept. Een andere stekel stak als een handtekening in de rulle grond. Het was zonder twijfel een stekelvarken.

Het net werd gerepareerd. Een paar ochtenden later kwam nungu nungu terug. Weer waren er een paar kolen aangevreten. De kleine peuterafdrukken zeiden genoeg. Deze keer groeven we het net dieper in de grond, maar dat leek niets uit te halen. Een paar weken en heel wat kolen later besloot ik een val te zetten om de dief te vangen.

We hadden er al een. Nguare en Lwokwolognei hadden hem gebouwd om een luipaard te vangen die de schapen aanviel; we hadden hem daarna vrijgelaten in het Samburupark. De luipaard was niet erg ingenomen geweest met zijn gevangenschap en grauwde woedend vanonder het canvas waarmee we de kooi hadden afgedekt om hem te beschutten tegen het licht en de verontrustende aanblik van mensen. Wat was zijn gebrul diep geweest. Hoezeer was dit geluid voor mij de stem van Afrika en van de hele onbekende, ongetemde wereld om me heen.

Het was een stevige kooi, gemaakt van dikke planken met zijkanten van zwaar metaaldraad en een valdeur die vakkundig was verbonden met een lokaas. De deur viel met een klap dicht als de dief op het aas afkwam. Wel een beetje groot, dacht ik, voor een stekelvarken.

In het geval van de luipaard was het aas een half verrot karkas van een schaap geweest. Deze keer was het een kool.

We zetten de val voorzichtig op om geen mensengeur achter te laten die ons plan aan een achterdochtige nungu nungu zou verraden. Er werd een sappige verse kool in het midden gelegd. Nungu kon de verleiding niet weerstaan. De volgende ochtend was hij al gevangen.

Hij was groot, had vochtigbruine ogen en was bedekt met lange stekels die recht overeind stonden, terwijl de holle stekels van zijn staart een vreemd droog geluid van uitzinnig tegen elkaar geslagen castagnetten maakten.

Nungu nungu ijsbeerde in zijn gevangenis, zijn puntige sleep achter zich aan tronend met de hooghartigheid van een verontwaardigd Indianenopperhoofd. Hoe dichter we hem naderden, hoe luider en bedreigender het geluid leek te worden. Al met al bleef hij opmerkelijk rustig onder deze toch verwarrende ervaring.

Maar de kool had hij wel opgegeten.

We zetten de kooi met enige moeite op mijn pick-up en reden weg. Ik stopte pas kilometers verder in een dichtbegroeid gebied. Geholpen door Luka, een grijnzende Emanuele en alle tuinmannen zette ik de kooi voorzichtig in de schaduw van een paar struiken. Ik opende de deur en bleef op enige afstand staan kijken.

Na een tijdje keek er een klein gezichtje naar buiten en zagen we nungu nungu zigzaggend en snel wegglippen in het kreupelhout.

Een paar dagen later waren de kolen weer aangevreten. We zetten de val op en opnieuw zat er de volgende ochtend een stekelvarken in.

Hoe moesten we stekelvarkens uit elkaar houden? Seronera opperde dat dit zijn wijfje was. Misschien was er wel een hele familie. Maar volgens Colin ging het om dezelfde die was teruggekomen. Luipaarden liepen, net als sommige katten, soms wel honderden kilometers terug naar hun territorium. Het leek onmogelijk. Maar wie wist precies welk instinct dit dier naar huis dreef?

Ik liet hem met een auto nog verder wegbrengen, een heel eind over de grens met Ol Morani, op een grote, grassige *mbogani* bezaaid met lage *carissa*-struiken. Heel ver van huis, zelfs voor een vastberaden nungu nungu.

'*Kwisha rudi,*' ('Hij is er weer') verkondigde Seronera een paar dagen later. Was het echt dezelfde? Dat was haast niet te geloven. Uit nieuwsgierigheid en omdat ik het raadsel per se wilde oplossen, pakte ik een bus verf en spoot ik de rammelende stekels door het gaas heen heldergroen.

Deze keer reed ik de kooi helemaal naar de rand van het Pokotgebied, met achterin zoals altijd de giechelende verzameling toeschouwers.

Bij zonsondergang, wanneer de schaduwen lang zijn, hele zwermen parelhoenders op de hoogste takken van de acacia's neerstrijken om te slapen, gierzwaluwen krijsend laag over de grond scheren en boomkikkers met een geluid van tinkelende klokjes ontwaken, lieten we een groene nungu nungu aan de andere kant van de grens vrij.

'Kwisha rudi tena,' mompelde Seronera een week later vol eerbied. Hij had een lange, gedeeltelijk met heldergroene verf bedekte stekel in zijn hand. Ik kwam niet meer bij van het lachen. Niemand trouwens. Zoveel volhardende, koppige hebberigheid dwong respect af.

Ik had eigenlijk toch al nooit van kool gehouden. We gingen het maar met artisjokken proberen.

Het verhaal van twee galago's

En ook de elfen met hun gloeiende oogjes als
vonken van vuur staan u bij
ROBERT HERRICK, *The Night Piece, To Julia*

De nachten in Afrika zijn nooit stil. Als je goed luistert, hoor je een compleet orkest van allerlei geluiden en heimelijke stemmen in het gras, op de heuvels en de duinen, in de vijvers en de bomen. En als je de verborgen wezens zoekt die de nacht bezielen, vang je soms een glimp van ogen op die het duister doorboren. Wanneer ze hoog in de boomtoppen lijken te dansen als schalkse elfen, sneller dan je ogen kunnen volgen, en als hun stem klinkt als het gejammer van een verdwaald kind in het bos, dan zijn het galago's. Ze zijn verwant aan de maki's en de apen. Het zijn nachtdieren, ze leven in bomen en voeden zich met insecten en fruit.

De eerste die ik ontmoette was Koba. In de donkere winkel waren alleen zijn ogen te zien: glanzend en rond en op een wonderlijke manier verontrustend. Toen ik de deur opende, liet ik de zon binnen en in het verblindend witte licht trokken de pupillen van de grote ronde ogen zich samen en leken de irissen mat in het kleine gezichtje.

Hij klemde zich vast aan de schouder van de man die hem wilde verkopen. Een band van gevlochten palmbladeren omgordde zijn smalle middel en benadrukte de tegenstelling tussen zijn slanke bovenlichaam met de dunne armen en zijn gespierde onderlichaam met de krachtige benen, gemaakt om te springen. Hij zag eruit als een kleine kangoeroe met de staart van een eekhoorn.

Ik had nog nooit een galago van zo dichtbij gezien. De nachten aan de kust zijn vervuld van hun schorre kreten terwijl ze in de apenbroodbomen van tak naar tak springen, maar overdag vertonen ze zich niet. Pas na zonsondergang kun je, als je veel geduld hebt, hun lichaampjes tussen de bladeren ontwaren.

Ze waren niet moeilijk te vangen. De lokale bevolking hing bakjes met sterk, zoet bier, gemaakt van kokosmelk en honing, aan de takken van de apenbroodbomen. De koppige geur was onweerstaanbaar voor de galago's. De volgende morgen waren ze stomdronken en lagen ze in de groene dageraad aan de voet van de majestueuze bomen nog verdoofd te slapen als de motten die ze niet hadden kunnen verschalken.

De dorpsbewoners konden ze zonder problemen pakken en aan een palmvlecht binden om ze aan de toeristen te verkopen op de pieren van de veerboten langs de kreken.

Deze galago was bij toeval gevangen. Het was een jong dier dat aan de rug van zijn verdoofde moeder hing toen ze werd gevangen. Maar de moeder was er op een of andere wijze in geslaagd te ontsnappen en de man, de badmeester van het hotelzwembad in Diani, had de baby meegenomen naar de winkel bij het zwembad, waar hij overdag werd opgeborgen tussen de badhanddoeken, ligstoelen en rubber zwemvliezen. En daar had Emanuele hem ontdekt. Hij had me wanhopig gesmeekt hem te kopen en vrij te laten.

Nu stond hij daar op trillende pootjes, onzeker en fragiel als een vogeltje dat nog niet kan vliegen. Hij zag er vreemd, bijna buitenaards uit.

Ik overwon mijn instinctieve, onverklaarbare afkeer en strekte mijn armen naar hem uit. Zijn kleine, zwarte handjes waren klam en plakkerig, met gerimpelde knokkels en spatelvormige nagels als van een oud kind, koude handjes in de felle zon. Hij sprong op mijn schouder en klemde zijn armen om mijn hals en tegen mijn haar voelde ik de harteklop van zijn angstige lijfje dat bescherming zocht. Ik had met hem te doen en voor een paar shilling was hij van ons.

We noemden hem Koba, een samentrekking van de Swahilinaam Komba. Emanuele en mijn nog jonge stiefdochters waren dolblij met hem.

Ik stelde als voorwaarde dat we hem na een tijdje zouden vrijlaten. Dat probeerden we ook. We hadden gehoord dat zijn moeder hem aanvankelijk vaak was komen zoeken en de sterrennacht had opgeschrikt met kreten van verdriet, en van de palmbomen naar de bloeiende struiken rond zijn gevangenis sprong.

Emanuele zette hem in de avondschemering op een tak neer en wachtte verscheidene avonden op haar terugkeer. Maar aangezien ze nooit kwam en Koba er ook niet in zijn eentje vandoor durfde te gaan, besloten we hem uiteindelijk maar te houden.

Toen de vakantie voorbij was, moesten we de kust verruilen voor het noorden en naar Nairobi terugkeren. Maar daar waren ook galago's en we hoopten dat we hem op een dag konden laten gaan.

Hij was een heerlijk huisdier. Opgerold tot een bal sliep hij in een verborgen hoekje ergens in huis, op boekenplanken en boven de ramen, en als hij wakker werd at hij fruit en de insecten die de kinderen voortdurend voor hem vingen. Hij kwam vaak bij ons bedelen om iets lekkers, een slok zoete warme thee waarop hij dol was, zijn kop in afwachting opzij terwijl zijn grote, ronde, fluwelen ogen ons oplettend en eigenaardig genoeg zonder te knipperen aankeken. Hij nam onze hapjes met bevallige vingers aan en at ze langzaam op. Hij hield ze als koekjes met beide handen vast.

Hij had iets verontrustends over zich en ik kon hem nooit aankijken zonder me ongemakkelijk te voelen, alsof hij de herinnering was aan een verdwenen persoon die rondwaarde in het onderbewustzijn, het verbleekte beeld van een prehistorische voorouder.

Hij had de weerzinwekkende gewoonte op zijn handen te plassen en liet een zware, vochtige geur van zoethout en overrijpe papaja's achter, maar verder was Koba rustig en vriendelijk. Onze honden waren echter onrustig in zijn buurt, spitsten hun oren en lieten een waarschuwend gegrom horen – of waren ze jaloers op de aandacht die hij kreeg? – als ze zagen dat hij een gordijn greep en op een hoge plank ergens in huis verdween. We beseften dat we hem niet alleen thuis konden laten en uiteindelijk, hoe naar ik het ook vond, moesten we een grote kooi voor hem bouwen met voldoende ruimte voor takken met bladeren en twijgen, zodat hij veilig heen en weer kon springen en lopen als wij er niet waren.

Toen ik op een dag thuiskwam, zag ik de deur van de kooi openstaan. De bladeren waren omgewoeld en Koba was verdwenen. De kinderen riepen hem die avond en de volgende avond en nog vele avonden erna. Emanuele legde rijpe mango's, passievruchten, dikke glimwormen en sprinkhanen op gevorkte boomtakken om hem te lokken, maar Koba kwam niet terug. Om hem te troosten zei ik dat Koba nu waarschijnlijk gelukkig was en een wijfje had gevonden, maar ik wist dat hij het onmogelijk in zijn eentje kon redden.

Het was ongeveer een week later, achter in de middag, en het had geregend. Bladeren bedekten het gras onder de grote bomen in mijn tuin in Gigiri, termieten in hun bruidsvluchten vulden de lucht met hun rijke, vrolijke gezoem en ik ademde diep de vochtige lucht in die rook naar vette aarde en humus en nieuwe scheuten, terwijl ik de tuin rondwandelde met een vriend die was komen theedrinken.

Het zag eruit als een afgedankt knuffelbeest, een stukje speelgoed uit een voorbije kindertijd, vergeten in de regen, een jong poesje verdronken in een Venetiaans kanaal, nat haar dat meelijwekkend kleefde aan een ellendig lichaampje. Hij lag vlak bij de boom waar hij niet in had kunnen klimmen. Mijn vriend hield zijn adem vol afschuw in. De staart leek te bestaan uit natte veren, maar wat me nog nachtenlang achtervolgde waren zijn ogen: wijd open, glazig en helemaal wit, zonder pupillen, als spiegels in de winter die dof zijn geworden en niets meer weerspiegelen.

We begroeven hem snel achter de huisjes van het personeel zodat Emanuele er niet achter zou komen.

De kinderen bleven hem zo nu en dan 's avonds roepen en een paar keer meenden ze hem als een elf in de boomtoppen te zien rondspringen. Ik durfde hun de waarheid niet te vertellen.

We misten hem allemaal. De herinnering aan de vage geur van zoethout en overrijpe vruchten bleef, en ook een droef gevoel van schuld. Een tijdlang kon ik mijn grote honden niet meer aanhalen, hoewel ik wist dat zij het ook niet konden helpen.

Jaren later, in Laikipia, landde er op een middag een vliegtuig op Kuti en liepen een paar vrienden naar ons huis toe. Er leek iets te bewegen onder het jasje van het meisje. Ronde ogen keken me zonder te knipperen vanonder de plooien aan en brachten de herinnering weer tot leven.

'Het is een jonge galago,' zei Davina. 'Wil jij hem alsjeblieft houden? Hij is door de anderen verstoten en hij is tijdens een gevecht gewond geraakt.' Davina's moeder hield in en rond haar huis een familie van halftamme galago's. 'Hij is nog te jong en ze bakenen hun territorium altijd af. Ze zullen hem doden.' Ze keek naar mijn hoge makuti-dak: 'Hij zal het hier heerlijk vinden. Neem hem alsjeblieft.'

Ik staarde naar mijn honden en het beeld van Koba's witte ogen verkilde me even. De galago greep mijn hand met zijn dunne, plakkerige vingers.

'Waarom ook niet? Maar ik stop hem niet in een kooi.' Ik rilde bij de gedachte. 'Galago's moeten de vrijheid hebben om te ontsnappen. Misschien vindt hij wel een vriendje.' Ik wist dat er galago's in Laikipia waren, vooral in het oerwoud van Engelesha, al had ik er nog nooit een gezien.

Ik noemde hem Charlie.

Hij sliep de hele dag in het houten vogelhuisje dat de fundi voor hem had gemaakt en dat op de hoogste paal van mijn veranda stond. 's Avonds, als de vleermuizen de lucht vulden met hun gekrijs, werd hij wakker en ging hij wat eten uit een bak met fruit, cakekruimels en honing. Daarna sloop hij naar het raam om een enkel nachtinsect te vangen dat werd aangetrokken door het licht. Hij vond het heerlijk, daar zo hoog tegen het plafond. De poriti-dakspanten van mangrovehout en de palmbladeren van het makuti-dak hadden misschien wel de geur bewaard van de kust waar zijn voorouders vandaan kwamen en vormden een uitgelezen palaestra voor zijn sprongen, malle toeren en buitelingen. Elke avond gaf hij een voorstelling voor ons en wentelde zich als een circusacrobaat tijdens gewaagde sprongen in wilde pirouetten.

Als we aan het eten waren, kwam hij vlak bij de eettafel zitten in afwachting van iets lekkers. Hij was dol op de chocoladesoufflé die Simon zo heerlijk klaarmaakte, en als hij de warme vanille rook zat hij te wachten tot ik hem zachtjes bij me riep en hem een portie gaf die hij, mij strak aankijkend met zijn ronde, peinzende ogen, netjes opat.

Eigenlijk zou niemand wilde dieren als huisdier moeten houden. Je kunt ze niet altijd de voortdurende zorg en aandacht geven waaraan ze behoefte hebben. Je kweekt gewoonten aan die ze niet horen te hebben, Ze worden afhankelijk, gaan de mensen te veel vertrouwen en meestal eindigt het met tranen.

Ik ging tien dagen naar Europa en toen ik terugkwam, was hij verdwenen. Tijdens mijn afwezigheid hadden 's avonds de vertrouwde lampen niet gebrand, waren er geen levendigheid en drukte geweest, geen mensen beneden hem, en had zich geen leven afgespeeld voor zijn nieuwsgierige ogen.

Galago's zijn kuddedieren. Misschien had hij zich eenzaam gevoeld en was hij eropuit gegaan. En de oehoe die jonge poesjes, eekhoorns en ratten eet, was vaak gesignaleerd als hij met zijn zware vleugels door de tuin vloog en met halfgeloken ogen de bloeiende struiken afspeurde naar een plotselinge beweging. De eerste avond na mijn thuiskomst zag ik zijn grote, sinistere schaduw hoog in de gele koortsboom midden op mijn gazon zitten.

De koude rillingen liepen me over de rug van zijn rauwe hongerkreet voor de jacht.

Ik was ervan overtuigd dat hij Charlie had gevangen. Ik was verdrietig, evenals Emanuele, in die tijd een tiener met lange benen en wijze ogen, en Sveva, een mollig hummeltje dat altijd had genoten van Charlies capriolen en had gegiecheld om zijn voorliefde voor vanillepudding en chocoladetoetjes.

Ongeveer een jaar later kwam Rocky Francombe, de vrouw van de bedrijfsleider die op het Centrum van de ranch een kilometer of acht verderop woonde, op een morgen opgewonden langs.

'We hebben gisteravond een galago gezien. Hij kwam naar ons huis toen we pudding zaten te eten en hij klom op de balken boven de veranda alsof hij opgemerkt wilde worden. Hij at een beetje mousse van passievruchten uit mijn hand. Andrew zag hem vandaag in de bougainvilleastruik slapen, naast het vogelbadje. Hij had een leeg spreeuwennest in beslag genomen. Volgens mij is het Charlie.'

Ze voegde er glimlachend aan toe: 'Hij was niet alleen. Er lag nog een galago naast hem te slapen.'

De pendel

Thuis is de zeeman, thuis van de zee.
ROBERT LOUIS STEVENSON, *Underwoods*, IXX, 'Requiem'

Hij kwam plezierig over met zijn ouderwetse manieren. Hij was lang en op middelbare leeftijd nog aantrekkelijk. Bij zijn grijzende haar met de keurige zijscheiding kwamen zijn gebronsde huid, regelmatige trekken en donkere, levendige ogen goed uit.

Evenals Dickie Mason, de vader van Emanueles vriend Charlie, had hij bij de Royal Navy gediend en hij bezat nog steeds de kaarsrechte houding en galante manieren van de zwierige jonge officier. Hij was dol op zeilen en als we in Kilifi waren, vertelde hij vaak oude zeeavonturen.

Hij was een uitstekende verteller en hij had dan ook een boeiend en ogenschijnlijk onuitputtelijk repertoire van legenden en verhalen die met de kust te maken hadden. De meeste gingen over bovennatuurlijke zaken, fetisjistische apenbroodbomen, ceremoniën bij volle maan en de goede of kwade geesten waar Kilifi om bekendstond, net als Takaungu, Vipingo, Mutwapa, Shimoni en de meeste Keniaanse kreken.

Niet zo heel lang geleden voeren de Arabieren nog naar de Oostafrikaanse kust om hun *dhows* te vullen met ivoor en dierenhuiden, specerijen en kokosnoten, en met slaven. Voordat deze laatsten 's avonds bij hoog tij aan boord werden gebracht, werden ze vastgeketend aan de wanden van de diepe oceaangrotten bij de fjorden die je overal langs de Keniaanse kust van de Indische Oceaan aantreft, buiten het bereik van de vloed en een veilige ankerplaats voor zeilboten.

De geesten van de slaven waarden nog rond op de talloze islamitische begraafplaatsen waar de kust vermaard om was, en in de oude, muffe ruïnes van verlaten stadjes die je in het oerwoud kon aantreffen onder een weelderige vegetatie, overwoekerd door lianen en met wilde orchideeën tussen de wortels van reusachtige broodbomen en apenbroodbomen. En de lokale bevolking, de Giriama, beoefende nog steeds op grote schaal hekserij vol geheime rituelen.

Ik hield van deze legenden omdat ze deel uitmaakten van de mysterieuze sfeer en het exotische van de kust. De uitheemse, rijpe geuren van wilde jasmijn en frangipani, kruidnagelen en kaneel, vanille en wierook, sandelhout en muskus; de ongekend rijke smaak van gekarameliseerde ananas en sterfruit en *madafu* en scherpe limoen; de duizenden gevaarlijke slangen en de grote leguanen, prehistorische monsters met ogen als glazen kralen en flitsende tongen; de bonte vogels en apen, vliegende honden en galago's, de statige apenbroodbomen, pilaren van verdwenen tempels, en palmen en *kasuar*-bomen die eeuwig huiveren in de zoute adem van de passaat.

Ik had hem ontmoet bij ons eerste bezoek aan Kilifi en hoewel we hem, toen Paolo en Emanuele nog leefden, vaak zagen als we naar de kust gingen, was hij toch niet meer dan een kennis en bleef hij altijd enigszins afstandelijk. We gingen jarenlang met elkaar om en ik mocht hem graag, maar ik kon niet zeggen dat ik hem ook goed kende.

Ik was dan ook nogal verrast toen ik in de moeilijke periode na Emanueles dood eerst een heel gevoelige condoléancebrief van hem ontving en later de boodschap dat hij een week bij me in Laikipia wilde komen. Emanuele was pas een maand of drie dood, het verdriet om zijn afwezigheid was nog vers en dompelde me onder in golven van eenzaamheid en verlangen.

Ik had voorhoofdsholteproblemen door het stof en toen hij arriveerde, had ik nog vreselijke hoofdpijn. Hij keek me even aan en met een glimlachje haalde hij een vreemd voorwerp uit zijn zak dat hij voor mijn ogen heen en weer liet slingeren. Het was een glanzend gepoetste koperen kegel aan een stuk vislijn. Ik moet hem niet-begrijpend hebben aangekeken.

'Weet je wat dit is?' vroeg hij. 'Een pendel. Je kunt hem voor van alles gebruiken. Vooral om iemand te genezen, maar ook om iets terug te vinden wat je kwijt bent, om een probleem op te lossen en om water te zoeken. Ik kan proberen je te helpen en misschien leer ik je wel hoe je moet pendelen.'

Ik was benieuwd.

Hij hield de pendel stevig vast boven mijn hoofd en na enige ogenblikken begon deze inderdaad heen en weer te slingeren, eerst langzaam, toen steeds sneller, tot hij door de snelheid nauwelijks meer te zien was. Als ik er alleen maar naar keek werd ik al draaierig, maar de pijn in mijn voorhoofd leek wel af te nemen. Na een paar minuten voelde ik me een stuk beter. Ik was stomverbaasd.

Hij stelde voor dat we het de komende dagen nog een paar keer zouden doen, en daarna was ik helemaal genezen.

'Ik wou dat ik dat kon. Het moet heerlijk zijn om mensen op zo'n simpele manier te kunnen helpen.'

'Dat kun jij vermoedelijk ook,' zei hij ernstig. 'De meeste mensen hebben het in zich, maar ze moeten dat vermogen ontwikkelen. Laten we eerst maar eens water gaan zoeken en dan zien we wel verder.'

Ik hield me in die tijd bezig met de ranch en de boerderij en ik moest bepalen waar waterputten nodig waren. Zijn onverwachte hulp kwam heel goed van pas. Hij wist als boer alles van gewassen en vee en hij was bijzonder geïnteresseerd in wat we op Ol Ari Nyiro deden. Hij straalde een zekere rust en diepgang uit en ik genoot ervan hem de ranch te laten zien en samen uit te zoeken waar een put moest komen.

We lieten de auto achter en gingen te voet verder. Als we een geschikte plek hadden gevonden, hielden we de pendel bewegingloos voor ons en wachtten tot hij uit zichzelf begon te draaien of te slingeren.

Vaak gebeurde er niets, maar soms was de reactie zo sterk dat ik totaal overrompeld was. We namen dan de proef op de som met een vers afgesneden wichelroede. De eerste keer dat de roede begon te trillen, bijna uit mijn hand sprong en sterk naar beneden wees, overviel het me zo en was ik zo in de wolken dat ik hem bijna liet vallen. Het was of ik een andere wereld betrad waar de onbekende krachten van de aarde die vroegere generaties hadden geleid, zich openbaarden in al hun eenvoud, maar ook met al hun mysterieuze, natuurlijke kracht.

Ik was een enthousiaste leerlinge. De dagen vlogen voorbij en het speet me dat de dag van vertrek voor mijn vriend aanbrak. Hij stond op het punt in zijn auto te stappen toen hij de pendel uit zijn zak nam.

'Ik wil hem graag aan jou geven,' zei hij, me ernstig aankijkend. 'Maar je moet beloven dat je hem ook gebruikt. Je hebt het in je en het is je plicht iets met die kracht te doen.'

Ik protesteerde. Ik wist hoeveel die pendel voor hem betekende en ik had gemerkt dat er een soort persoonlijke, intieme band tussen die twee bestond, zoals tussen een heks en haar zwarte kat. Maar hij stopte hem resoluut in mijn hand en voor ik het doorhad, was hij al verdwenen.

Ik gebruikte de pendel in de loop der tijd een paar keer, meestal bij Sveva als ze ziek was en af en toe bij mijn moeder en een paar vrienden. Vaak voelden ze enige verlichting en ik kwam er nooit achter hoe groot de rol van de suggestie hierbij was.

De meeste mensen die hem kenden verbaasden zich erover dat hij me die pendel had gegeven, want iedereen wist hoezeer hij eraan gehecht was. Ik was trots dat ik was uitverkoren.

Ik zag hem de volgende paar jaar nauwelijks. Ik ging nooit meer naar Kilifi omdat daar te veel herinneringen lagen aan gelukkige tijden en ik wist dat hij zelden in Nairobi kwam.

Op een ochtend, een tijdje geleden, zat ik bij mijn kapper in Muthaiga een boek te lezen dat ik net had gekocht omdat de titel me aansprak: *Mysteries* van Colin Wilson.

Het eerste hoofdstuk heette 'Ghosts, souls and pendulums'. Ik moest meteen aan hem denken en vroeg me af hoe het met hem was. We hadden gehoord dat hij was hertrouwd. Ik had hem in geen jaren gezien.

Ineens had ik het gevoel dat er iemand naar me keek en ik sloeg mijn ogen op. In de spiegel voor me zag ik hem staan tussen de dames met krulspelden en de flacons met shampoo. Op hetzelfde moment keek hij om, onze ogen ontmoetten elkaar en hij herkende me met een glimlach. Ik was zo perplex door wat ik geen toeval meer kon noemen, dat ik enige ogenblikken geen woord kon uitbrengen. Ik hield mijn opengeslagen boek op zodat hij kon zien wat ik las. Zonder een spoor van verbazing verbreedde zijn glimlach zich, alsof dit een volstrekt normaal voorval was.

'Met jou was dat te verwachten,' zei hij bedaard. 'Gaat het goed met je? En de pendel?' Het viel me op dat hij er moe uitzag, bijna buiten adem. Het was heet die dag.

Enkele weken later zei iemand tijdens een dineetje op de Belgische ambassade tussen neus en lippen: 'Afschuwelijk, hè, wat er in Kilifi is gebeurd.' En zo kwam ik het te weten.

Hij was op een ochtend met zijn geweer naar Takaungu gegaan voor een wandeling. Hij was nooit teruggekeerd. Zijn onthoofde lichaam met ernaast het geweer werd 's middags gevonden op het strand langs de kreek in de buurt van het vroegere huis van Finch Hatton dat nu van Barclay Cole is, vlak bij dat van Bwana Nyoka. Niemand wist wat er precies was gebeurd.

Hij was weg, de trouwe vriend van vroeger met zijn mysteriën en zijn verhalen. Een stille pijn die niemand zou kennen, weer een Keniaans drama, nog een geest die zich voegde bij de geesten onder de apenbroodbomen van Kilifi.

Thuis zocht ik de pendel, maar hij lag niet waar ik hem had opgeborgen. Ik zocht dagenlang in alle hoeken en gaten van het huis, maar hij was spoorloos verdwenen.

Kort geleden ontmoette ik zijn weduwe, een vriendelijke, knappe vrouw die nog steeds niet kon bevatten wat er was gebeurd. Ze wilde een boek over haar leven schrijven en nam contact met me op in verband met adressen van uitgevers.

Ze wist dat ik haar man had gekend, maar meer niet. Op een bepaald ogenblik kon ik de verleiding niet langer weerstaan en begon ik over zijn geliefde pendel. Ik wilde net vertellen dat hij hem aan mij had gegeven, dat ik bijzonder vereerd was geweest en hem nu tot mijn schrik nergens meer kon vinden, toen ze zei: 'Die pendel van hem heb ik in de Indische Oceaan gegooid. Dat leek me het beste.'

En het strand werd weer overgelaten aan de zeemeeuwen.

Een bed is als een schip

Geef me het leven dat ik liefheb: een bed buiten met de sterren erboven.
R.L. STEVENSON, *Songs of Travel I*, 'The Vagabond'

Ook al geloven we in het Westen over het algemeen niet meer in voorspellingen, ze horen bij Afrika en de Afrikaanse tradities. Ik heb gekozen voor Afrika en ik heb geleerd de rituelen en het bijgeloof te accepteren en te respecteren, want ze komen voort uit de aard van de mensen en hun eenvoudige leven, dat nog dicht bij de bron van alle dingen staat. Ze zijn onlosmakelijk verbonden met het instinct dat stammen in staat stelt onder moeilijke omstandigheden te overleven en ze periodiek naar andere weidegronden doet trekken, wat ze beschermt tegen roofvijanden of ze naar water leidt.

Er zijn in mijn leven situaties geweest waarbij ik dicht bij de kern van de Afrikaanse ziel kwam en ik met nederigheid en trots voelde dat Afrika me had geaccepteerd en me om zijn eigen, ondoorgrondelijke redenen had uitverkoren.

Zoals toen de Pokot-vrouwen me een speciale wens kwamen brengen.

Het was de middag voor kerst 1983. Paolo was drie jaar daarvoor overleden, Emanuele had zich een paar maanden geleden bij hem gevoegd en Sveva, ons kind, was bijna drie. Ik was met mijn kok Simon in de keuken bezig een ingewikkelde staaf van chocolade te maken.

Het Nandi-dienstmeisje Rachel kwam me roepen: '*Kuja! Wanawake wa Pokot iko hapa. Unataka kuona wewe.*' ('Kom snel! De Pokot-vrouwen willen u spreken.')

Ik veegde mijn handen aan een doek af, zette mijn peuter op mijn heup en ging naar buiten, terwijl ik de chocolade van mijn vingers likte.

Ik kon hen vanaf de veranda zien. Sommigen hurkten al op hun gemak onder de koortsbomen, anderen stonden, en een paar vrouwen dansten als langpotige struisvogels rond met hoog opgetrokken benen.

Er waren oude vrouwen gekleed in zachte huiden, de donkere krullen ingevet, tandeloze, rimpelige gezichten, verweerd als oude houten maskers. Er waren meisjes, en zij zongen. Ze waren zo jong, zo frêle, als vogeltjes die nog geen veren hebben. Benen als lucifershoutjes, dunne armen met glimmende koperen armbanden, de kleine, ronde gezichtjes op de sierlijke halzen tot afschrikwekkende maskers geschminkt met een mengsel van witte as en kalk. Maar hun vrolijke ogen deden met hun ondeugende, verwachtingsvolle glans het effect van de vermomming teniet. Ze hadden allemaal een lange, ceremoniële stok in de hand die ze van een speciale struik in het oerwoud hadden gesneden en ze zwaaiden deze op het ritme van hun stem heen en weer.

Toen ze me zagen zwol het gezang onmiddellijk aan, alsof het door een plotselinge windvlaag vleugels had gekregen. Het was een schrille, hoge weeklacht als de roep van een vogel op het heetst van de dag. Het doorvoer hen als een huivering toen ze beurtelings zongen en begonnen te golven in een bezeten, maar tegelijkertijd wonderlijk beheerste rituele dans.

Het was de dans van de besneden meisjes die de pijn en de vernedering van deze barbaarse, maar geïntegreerde traditie dapper en waardig hadden gedragen in de wetenschap dat ze nu volwassen waren en in het huwelijk konden treden met de man die een bruidsschat van vee en geiten aan hun vader betaalde. Het was het lied van de vrouwen van Afrika, vol moed en wederzijdse solidariteit, hoop op kinderen en trotse berusting in een niet door hen gekozen, maar door de tijd beproefd lot.

Ze spogen in hun handen alvorens me een voor een de hand te drukken en ze giechelden verlegen. Sommigen leken meelijwekkend klein, bijna kind nog, met witte ogen en tanden die scherp afstaken tegen de stamcamouflage, bedoeld om hen onaantrekkelijk te maken gedurende de periode van heling. Over een paar dagen zouden ze zijn genezen en konden ze zich vertonen aan de bereidwillige jonge mannen. Ze zouden het traditionele kostuum van helder oranje, bruine en gele kralen dragen, de ronde wangen uitdagend okerrood gemaakt met vet, de haren gevlochten in ingewikkelde patronen, de borstjes bloot boven rokken van met kralen versierde kalfshuiden, aan de achterkant lang en van voren opgeschort om hun soepele, met enkelringen gesierde benen te tonen. Volgend jaar en de jaren daarna zou ik enkelen van hen terugzien; ik zou hen verrassen in een bocht van een pad terwijl ze hun geiten en pas gespeende dieren hoedden, de buik bol van hun eerste, tweede en volgende kind, jaar na jaar, hun hele vruchtbare leven lang.

En ineens, toen alle begroetingen waren uitgewisseld, mijn symbolische gift van thee en suiker was overhandigd en de ceremonie tot een einde leek te komen, stapte een oude vrouw naar voren met in haar uitgestoken handen een lang voorwerp. Onmiddellijk daalde een stilte neer op het groepje vrouwen, als de laatste laag bladeren na het luwen van een plotseling opgestoken storm.

De andere vrouwen groepten zwijgend in gespannen verwachting om me heen en ik realiseerde me dat dit het voornaamste doel van hun bezoek en het hoogtepunt van de ceremonie was.

De vrouw murmelde gutturale woorden in het Pokot en bood me haar gift aan. Het was een brede riem van zacht leer, versierd met een eenvoudig patroon in kleine, grijze schelpen van de porseleinslak als glanzende kiezels, ingesmeerd met een mengsel van oker en geitenvet. Voor ik het wist hadden ze hem ontwapenend giechelend om mijn middel gedaan en vroegen ze me op een blije, smekende, dwingende toon iets wat ik niet verstond.

'Niumba yako ya kulala. Aua nataka kubeba wewe kwa kitanda yako.'

'Uw slaapkamer, ze willen u naar uw bed dragen,' vertaalde Simon, die als een beschermende schaduw naast me was komen staan.

Mijn bed. Ik herinnerde me de dag waarop ik op de vloer zat van de kamer die onze slaapkamer zou worden en toekeek hoe Langat en zijn helper Nguare de bomen naar binnen droegen die ons bed zouden vormen.

Het maken van een bed is als het bouwen van een schip dat ons zal dragen door vreugden en nachtmerries, verrassingen en dwaasheden, momenten van rust en koortsaanvallen tijdens alle reizen van ons nachtleven.

Een bed is het belangrijkste meubelstuk dat we ooit gebruiken, omdat er zoveel in gebeurt wat onze wakkere uren beïnvloedt. Een bed is een *habitaculum*, een huis op zich. Ons slapende lichaam dat we aan zijn beschermende omarming hebben toevertrouwd, verzamelt met overgave de kracht, de glorie van het daglicht van morgen.

Ons hemelbed was door mijzelf ontworpen en bestond uit eenvoudige, niet bijgeschaafde maar alleen in de was gezette stijlen die met elkaar waren verbonden door kleinere stammetjes; een bed met een spectaculair hoofd- en voeteneinde gemaakt van stukken houtafval zonder bast waarin de pezige lijnen van de lange, houten spieren duidelijk waren te zien.

Dit bed, waarin ik nu nog steeds slaap en zal blijven slapen zolang ik leef, was ter plekke in een paar dagen in elkaar gezet. Het was groot, massief en uniek en kon nooit meer door de smalle deur naar buiten.

Langat, Nguare en ik hadden het samen gebouwd en toen het af was, gaf ik hun een biertje om te drinken op deze kuip van dromen en verdriet. We stonden samen vol bewondering het resultaat van onze inspanningen te bekijken en we schudden elkaar lachend van plezier en voldoening de hand. De gangetjes die insecten ijverig in het hout hadden gegraven, vormden een subtiel, onnavolgbaar filigraanwerk, een tere fossiele herinnering.

Op een dag, maar dat wist ik toen nog niet, zou Paolo aan de middelste balk een leeg struisvogelei hangen dat me met zijn onbekende orakel zou intrigeren. Ik zou na Paolo's dood slapeloze nachten lang naar dat ei kijken terwijl zijn dochter de borst kreeg en op de deken van klipdasvellen speelde. Enkele jaren later zou ik op dit bed het gekwelde lichaam van mijn tienerzoon Emanuele voor zijn laatste nacht op aarde neervlijen om bij hem te waken, in elkaar gedoken in de koude dekens aan mijn kant van het bed, en om mijn laatste lied voor hem te schrijven.

De Pokot-vrouwen wilden mijn bed zien.

Het verzoek was zo vreemd en kwam zo onverwacht, dat ik geen tijd had om bezwaar te maken. Met een hoofdknik wees ik hun de weg en onder triomfkreten tilden tientallen magere, sterke, bruine handen die me door mijn kaki kleren heen stevig vastpakten, me hoog boven de kroeshoofden op, terwijl de vrouwen een nieuw lied aanhieven.

De levende bruine stroom droeg me in een slingerbeweging door de tuin, zoals een stoet oogstmieren een groot wit insect naar de geheime voorraadkamer brengt. Voor ik het wist was mijn slaapkamer vol vrouwen die ineens allemaal tegelijk door elkaar heen wriemelden.

Eindelijk werd ik zo zachtzinnig mogelijk, maar toch nog tamelijk ruw, op mijn bed geworpen. De jongste vrouwen giechelden terwijl de oude vrouwen half zingend hun voorspelling of hun wens uitten. De een na de ander viel stil, tot alleen de oudste nog sprak. Ze drentelde om me heen, keek me met haar glanzende ogen aan en sprak in haar taal vol keelklanken haar wens uit. De anderen zegden in koor het laatste woord na en klapten in de handen. Een voor een zegenden ze me door me met een speekselregen te besproeien.

Ik werd weer opgetild en, verbijsterd en besmeurd met oker, naar buiten in de zon gebracht.

Later werd hun speciale wens voor mij vertaald: dat ik op dit bed, dat zoveel verdriet had meegemaakt, weer gelukkig zou worden, gelukkig en opnieuw bemind, 'maar niet weer zwanger', de beste wens die ze te bieden hadden en die ik dankbaar aanvaardde.

En enige tijd later kwam hun wens uit, zoals een echte bezwering betaamt.

Neushoorn op hol

En door mijn eigen ervaringen betwijfel ik of de neushoorn echt zo slecht ziet als algemeen wordt verondersteld.
VIVIENNE DE WATTEVILLE, *Speak to the Earth*

In Afrika is het over het algemeen moeilijk om dieren in het open veld te bespieden, want de weelderige vegetatie of het dichte struikgewas biedt ontelbare schuilplaatsen waar het wild, opgeschrikt door het geluid van je naderende auto, het knappen van een twijgje onder je onoplettende voeten of je geur die door de draaiende wind wordt meegevoerd, snel in weg kan duiken.

Hoe vaak heb ik niet vanuit mijn ooghoek een steelse beweging bij een bocht in het pad opgemerkt, de schim van een staart of van trillende oren in het hoge gras, en dan schoot er een schaduw weg, sneller dan mijn hersens konden registreren, zodat de verschijning iets onwezenlijks kreeg en mijn verbeelding werd geprikkeld.

Maar als ik stopte om poolshoogte te nemen en het stof of de opgedroogde modder van het wildspoor onderzocht, vond ik de onmiskenbare afdrukken van een grote hoef of een poot, als een signatuur die ongewild door vluchtende poten in het zand was achtergelaten.

Ik heb het altijd een boeiende gedachte gevonden om een zeldzaam of schuw dier te kunnen tegenkomen en het heel even te zien, gevangen in het licht van de koplampen of nog in het zonlicht voordat de nacht of het gras van de savanne het opslokt. Een paar seconden later, of eerder, en het schouwspel zou voor altijd zijn gemist.

Ik herinner me talloze van dergelijke voorvallen, maar het meest opzienbarende was misschien wel een wonderlijke ontmoeting die door vier paar even verbijsterde ogen werd gadegeslagen en door haar perfecte timing uitmondde in de onvoorziene redding van een uiterst zeldzaam wezentje in nood.

Op een juliochtend in Laikipia, toen Sveva een jaar of vijf was, reed ik met haar naar het Centrum om haar vriendje Andrew, de zoon van Colin Francombe, op te halen om bij ons op Kuti te komen spelen.

De lucht was roerloos en heet en de hemel hing laag, loodkleurig, zoals altijd in het regenseizoen wanneer de winden van de hooglanden een tijdlang niet waaien en de enige beweging de trillende vlucht van witte vlinders is die in eindeloze wolken van bevende vleugeltjes naar het westen trekken. Als golven bewegen ze zich onophoudelijk in dezelfde richting, alsof ze een rendez-vous aan de andere kant van de horizon niet mogen missen, en de gouden lucht lijkt vol sneeuwvlokken van een onwaarschijnlijke zomerstorm of van romige bougainvilleablaadjes, verspreid door de zucht van een onzichtbare bries.

Mijn auto slipte in de verse rode modder; de toefjes nieuw gras naast het pad waren smaragdgroen en de carissa- struiken waren bedekt met een massa wufte bloempjes die hun bedwelmende jasmijngeur mengden met het zoete, warme parfum van de bloeiende acacia's. De verandering die de regen in Laikipia teweegbracht was altijd adembenemend, en de wilde dieren leken herboren, goed doorvoed, stralend van gezondheid: dartele impala's, glanzende ellipswaterbokken, vette zebra's en onverstoorbare olifanten die ongehaast van de hogere takken aten.

Het rode stof dat de bladeren had verdoft als klevende roest was verdwenen en had glanzende grassprieten en stralende knoppen onthuld.

De kinderen babbelden achterin toen ik langzaam terugreed naar Kuti, genietend van de schoonheid en de overvloed van het natte, weelderige Afrikaanse landschap.

Het gebeurde plotseling en ik was volkomen onvoorbereid. Iets kleins en grijs' holde over de weg, bijna recht op de auto af: een wonderlijk wezentje als een uitgeknipte stripfiguur die door een speling van de verbeeldingskracht het echte leven om ons heen binnendrong.

Een baby-neushoorn, niet groter dan een hond, daverde met grote snelheid voor me over de weg. Alleen. Zijn blik was op het pad gericht, maar toen hij mijn auto zag, draaiden zijn ogen daarheen en een fractie van een seconde lang las ik er tot mijn stomme verbazing pure angst in. Om een of andere reden was de baby-neushoorn doodsbang en ik realiseerde me dat hij rende voor zijn leven.

Hij stoof rakelings langs mijn bumper en was in een mum van tijd verdwenen. Ik trapte op de rem en de auto kwam slippend tot stilstand; op hetzelfde moment stopte voor mij een andere auto die uit de tegenovergestelde richting kwam. Het gezicht van Karanja, de chauffeur, drukte dezelfde verbijstering uit. We keken elkaar aan en ik sprong uit mijn auto om te gaan kijken.

Daar, midden op het pad, als aan de grond genageld, stond de kleinste zwarte neushoorn die ik ooit had gezien.

Zijn huid leek zacht en glad als rubber speelgoed; op zijn neus was niet meer dan een onbeduidende verdikking te zien op de plaats waar later zijn hoorn zou groeien. Zijn kleine, varkensachtige oogjes keken strak naar mij, of beter gezegd, naar mijn auto. Het was absurd, maar ik wist zeker dat ik er de weerspiegeling van mijn eigen verbazing in zag die de uitdrukking van vlak daarvoor – onmiskenbare, overweldigende angst – had verdrongen. En toen duidelijk een blik van opluchting, vreemd genoeg van herkenning, bijna van vreugde in zijn biggenoogjes, alsof deze ontmoeting hem op wonderlijke wijze geruststelde.

Een ogenblik later begon hij ineens onze kant op te rennen, recht op het openstaande portier van mijn auto af.

Ik bewoog me niet, maar mijn geur bereikte door de draaiende wind zijn gevoelige neus, en mensengeur betekende gevaar. Geschrokken en met een bedrogen blik in zijn ogen stopte hij plotseling. De kop ging naar beneden, hij snoof door zijn neusvleugeltjes en met een koddige beslistheid nam zijn instinct het heft in handen en ging hij in de aanval. Voor ik het doorhad, stootte hij zijn onontwikkelde hoorn tegen mijn bumper.

Het was zo grappig dat ik in lachen uitbarstte, net als de kinderen, die ik met hun verbijsterde gezichtjes, open mond van verbazing en grote ogen die niets hadden gemist, door de achterruit zag kijken.

De neushoorn schrok van dat geluid. In één beweging draaide hij zich om, dook ineens opzij en ging er nog sneller dan eerst vandoor.

Alleen het struikgewas bleef achter en de lege weg, waar al snel een lichte stofwolk op neerdaalde.

Ik wendde me tot Karanja, mijn andere getuige, om over de gebeurtenis van gedachten te wisselen: zijn mond hing open, zijn ogen waren groot van ongeloof, maar er was meer. Hij reed in een hoge land-cruiser en aangezien zijn blikveld veel verder reikte dan het mijne, kon hij meer zien dan ik.

Hij begon door het raampje opgewonden met zijn ronde hand te gesticuleren en wees naar een punt naast de weg dat ik niet kon zien. Ik merkte dat hij moeite had zijn stem terug te vinden.

'*Simba!*' riep hij tenslotte. '*Iko simba uko nafuata hio mutoto ya faru!*' ('Er zit een leeuw achter dat neushoornkind aan.')

Dat verklaarde de wanhopige angst.

Ik draaide me om, ging op mijn tenen staan en inderdaad, tussen het hoge gras en de lage carissa-struiken door zag ik de sluipende, gele gedaante van een jagend dier. Een ogenblik later was het weg; alleen de afdrukken van zijn klauwen bleven in de harde ondergrond achter.

Zelfs de neushoorn was verdwenen. Zijn tijd was nog niet gekomen. Onze aanwezigheid op precies dat punt van de weg op juist dat moment had zijn leven door een mysterieuze speling van het lot op het nippertje gered.

Ik vroeg me af hoe lang dat nu al duurde. Waar was zijn moeder? Karanja wist het: '*Ni ile mutoto ya faru. Ile nabaki tangu mama yake aliuliwa na janghili.*' ('De moeder van dit neushoorntje is door stropers gedood. Het dier dat weleens met een volwassen mannetje is gesignaleerd.')

Waarom was hij naar mij toe gerend? Ik piekerde er wekenlang over en vroeg alle deskundigen op het gebied van dieren die ik tegenkwam of zij het wisten. Hij was natuurlijk niet op me afgekomen om bescherming te zoeken: het was een wilde neushoorn die niet aan mensen gewend was.

Maar ik had in een lage, gebroken witte, met modder bespatte Subaru gereden.

De afmetingen, kleur en vorm moeten hem bekend zijn voorgekomen.

Het neushoornkind had nog nooit iets gezien wat meer op zijn moeder leek dan mijn auto.

Fifty Guineas' Pike

De doorploegde heuvels werden zwarte schaduwen (...)
Geluiden stokten, vormen losten op – alleen de werkelijkheid van het universum bleef – iets wonderbaarlijks van duisternis en glinsteringen.
JOSEPH CONRAD, *Tales of Unrest*, 'Karain, a Memory'

'Bij de eerstvolgende volle maan wil ik jou en Sveva graag Fifty Guineas' Pike laten zien,' zei mijn vriend Hugh Cole. 'Je kunt de zon daar zien ondergaan en de maan zien opkomen vanaf een fantastisch "kopje". Het uitzicht is ongelooflijk. Smeer jij een paar broodjes, dan neem ik hengels mee, *yeah*.'

Hij grinnikte. Ik vond zijn Nieuwzeelandse accent nogal grappig voor iemand die Cole heette.

Ik mocht Hugh Cole graag. Hij was een goede vriend van me, al sinds onze begintijd in Laikipia. De familie Cole woonde toen op de Narokplantage, een uitgestrekte, efficiënt beheerde ranch ten oosten van Ol Ari Nyiro, en naar Keniaanse maatstaven waren ze zo'n beetje onze buren. Hugh kwam vaak met onze vriend Jeremy Block langs om samen met Paolo op buffels te gaan jagen. Ze bleven dan de hele middag weg en 's avonds zaten we nog lang bij het haardvuur na te praten.

Hugh was in die tijd nauwelijks meer dan een jongen, een jaar of negentien misschien, en hij droomde echte jongensdromen, die volwassenen soms ook koesteren.

Hij was lang en slungelig en had het steile, donkere haar van zijn Ierse voorouders, een bleke huid met een enkele sproet en een gesluierde, diepe stem. Maar het meest opmerkelijke aan hem was de ondeugende blik, dansend in zijn onrustbarend blauwe ogen die nooit knipperden en zich op zijn gesprekspartner richtten met de verlegenmakende strakheid waarmee een vogel kijkt. Maar hij was veel te beleefd en te goed opgevoed om te staren.

Hugh had de flair voor woorden van mensen die in juni zijn geboren en zijn verhalen waren kleurrijk, krachtig en aangrijpend. Ze boeiden me en vormden tijdens onze lange gesprekken de kern van onze vriendschap.

Op den duur besloot zijn vader Narok te verkopen aan nieuwe Keniaanse kolonisten, wat veel mensen op de hooglanden van Laikipia deden. Hugh vertelde jaren later dat hij hem op een dag wat geld had gegeven en met een klap op zijn schouder tegen hem had gezegd: 'Succes, jongen. Het ga je goed. Je bent een Cole, dus je redt het wel.' Of woorden van gelijke strekking.

Lichtelijk verbijsterd vertrok Hugh naar Australië. Dat hadden de Engelse veroveraars destijds ook gedaan, maar vroeger was voorbij. *Down under* hadden slechts weinigen van de familie Cole gehoord en Hugh, die was opgevoed om later de uitgestrekte familieplantage op de Keniaanse hooglanden te leiden, vond het moeilijk zich een plaatsje op het nieuwe continent te verwerven.

In Kenia waren zij de Coles. Evenals de Delameres, de Blixens, de Longs en de Powys, de Blocks en de Rocco's, Beryl Markham en Gilbert Colvile en nog een aantal anderen, maakten ze deel uit van de Keniaanse geschiedenis en van de eerste generatie excentrieke, avontuurlijke of aristocratische pioniers in dat land. In het begin van de eeuw waren ze te voet Afrika ingetrokken, ondanks alle waarschuwingen en ziekten, hitte, wilde dieren, vliegen en de woestheid van het land. Ze hadden zich niets aangetrokken van doornen, stof, koortsaanvallen, droogten, overstromingen en vijandige stammen en hadden de droom van het avontuur gevolgd en de verkenningsdrang die zo eigen is aan de Britse natuur. Ze vonden een nieuw Eden op de hooglanden en in de dalen van de Riftvallei en daar streken ze neer.

Ze waren geboren in het land zelf en doortrokken van traditie, ze waren beschermd en Victoriaans opgevoed en vormden een groep mensen die niet voor een kleintje vervaard was.

De eerste Keniaanse lady Delamere, een Cole van geboorte, woonde aanvankelijk in een gevlochten hut zonder zelfs maar de meest elementaire Europese gemakken, en ze nam geregeld zonder een spier te vertrekken haar geweer om een parelhoen voor het eten te schieten of ze hielp een zieke koe bij de bevalling met dezelfde vanzelfsprekendheid waarmee ze op een aangename Engelse middag op het gazon een *petit point*-kussen zou hebben geborduurd.

In tegenstelling tot de latere golf van decadente, luie beaumonde, aan wie een deel van Kenia de slechte naam van 'Geluksvallei' heeft te danken, waren de allereerste Keniaanse kolonisten noeste werkers.

Ze verwijderden het kreupelhout en bewerkten de grond. Ze fokten schapen die prijzen wonnen en stamboekvee en schoten de leeuwen of veedieven neer die hun levende have probeerden te doden of te stelen. Ze bedwongen rivieren en tapten bronnen af, bevloeiden onvruchtbare grond en plantten honderdduizenden hectaren tarwe en maïs. Ze gingen overal naar toe op hun paard, effenden paden en wegen in het maagdelijke, onherbergzame land. Sommigen stierven aan malaria, aan geheimzinnige tropische ziekten, aan geïnfecteerde wonden en etterende zweren, door inheemse speren en aanvallen van roofdieren. En toch zetten ze door, voortgedreven door hun veroveringsdrang en het onbedwingbare verlangen het onbekende te ontdekken.

Toen Hugh in Amerika zijn vriend Jeremy opzocht, verbannen naar een universiteit, raakte hij betrokken bij een afschuwelijk ongeluk. Op een bergweg in Colorado vloog zijn zware motor uit de bocht en terwijl Jeremy, die achterop zat, geen schrammetje had – alleen een kapot horloge – brak Hugh vrijwel alle botten in zijn lichaam en ging hij bijna dood. Wij in Kenia hoorden ervan en maakten ons grote zorgen om hem. Het duurde jaren voor hij weer was genezen en hij liep nooit meer zoals vroeger. Maar op een dag ging de telefoon. Het was mijn vriend Tubby, de vader van Jeremy.

'Raad eens wie er weer is,' zei hij opgewekt. 'Hugh Cole. Hij logeert bij mij. Kom vanavond eten.'

Ik had in die paar jaar veel meegemaakt. Paolo was gestorven en daarna mijn zoon. Maar Laikipia was er nog in al haar ongelooflijke pracht en ik had Sveva, mijn lieve engeltje, het kind van hoop en nieuw begin.

Hoewel hij met zijn ene been trok en lichtelijk doof leek te zijn geworden, was hij nog dezelfde oude Hugh met zijn galante manieren en boeiende verhalen vol wonderlijke wendingen, maar de vermoeidheid en droefheid waren nieuw, evenals natuurlijk het grappige vleugje Nieuwzeelands accent. Hij had down under van alles aangepakt en hij was teruggekeerd om te zien of hier nog iets voor hem te doen viel. Hij ging in de buurt wonen, bij zijn zus, en ik zag hem vaak nu we de draad van onze vriendschap weer hadden opgepakt. We kletsten, lachten, spraken over vroeger, over mensen die ik had verloren en die hij graag had gemogen. Mijn wonden waren nog vers.

De gedachte op verkenning te gaan was verleidelijk en de belofte van avontuur had altijd een onweerstaanbare aantrekkingskracht op me uitgeoefend. Ik was nieuwsgierig naar Fifty Guineas' Pike. Op de afgesproken dag kwam Hugh naar Laikipia in de groene pick-up met de stugge vering waarin hij vroeger als een waanzinnige reed. Achterin had hij altijd een paar zware cementzakken staan voor het evenwicht.

Sveva – die toen vier was – en ik sprongen erin met een mand vol broodjes en we gingen op weg. Op het Centrum gaven we Mirimuk een lift omdat hij een paar Turkana-familieleden op de Narokplantage wilde bezoeken.

Hugh was er na de verkoop nooit meer geweest, maar hij kende natuurlijk nog alle sluipweggetjes en de plekken waar je door de oude boma's kon rijden, elk detail van de plaats waar hij was opgegroeid. Hij slaagde erin zijn gezicht in de plooi te houden en geen enkele emotie te tonen toen we door het land reden waaraan hij, zoals ik wist, zeer verknocht was, het land dat de achtergrond had gevormd van veel verhalen die hij me had verteld. Ik bewonderde hem erom.

We vlogen over kuilen en stenen en wierpen genadeloze stofwolken op, zoals Hugh altijd al had gedaan. Er was een nieuwe, moeilijk te definiëren roekeloosheid over hem gekomen. Ik had geen idee waar we heen gingen en ik had af en toe het gevoel dat zelfs Hugh niet meer zeker was van zijn bestemming.

Maar de landschappen waar we doorheen reden waren adembenemend. Golvende groene heuvels en open mbogani bedekt met lage filigraanachtige *acacia mellifera*, sanseveria en euphorbia. Het land was veel droger en woestijnachtiger dan Ol Ari Nyiro.

Het duurde langer dan ik had gedacht. We bonkten urenlang over ruige paden, maar toen we er eindelijk waren, bleek de plek even magisch te zijn als ik had verwacht. Fifty Guineas' Pike was een van de vele kopjes die het landschap onderbraken en had zijn vreemde naam te danken aan een duistere weddenschap waarvan niemand meer de juiste toedracht wist. Fifty Guineas' Pike was een sensatie en de lange reis meer dan waard.

Er was een flink meer met een waterval, omringd door palmen

en gigantische, loodrecht oprijzende basaltrotsen vol wilde bloemen en papyrus. Overal door bavianen gemaakte paden en sporen van luipaarden. Vissen dartelden in het meer, grote, zilveren barbelen die eruitzagen als door een kind getekende vissen. Watervogels en libellen.

We klommen, Sveva deels duwend en deels dragend, naar het eerste terras dat van onderaf te zien was. We kwamen op een vlakke ondergrond van gladde rotsen vol diepe, cilindervormige erosiegeulen, een geologische curiositeit die in duizenden jaren tijd vermoedelijk was gevormd door verdwenen waterstromen en weggespoelde stenen.

De Ndotobergen en het noordelijke grensgebied aan de ene kant en het immense Laikipiaplateau tot aan de Mount Kenya aan de andere kant, strekten zich uit zover het oog reikte.

Sveva gluurde in een van de erosiegeulen waar zoals meestal brak water onderin lag en ontdekte een groen grasslangetje dat daar zwakjes rondzwom. Hij was er vermoedelijk in gevallen toen hij op zoek was naar water en kon er toen niet meer langs de gladde, hoge wanden uit klimmen.

We besloten een van de hengels op te offeren die Hugh van een lange dunne tak had gemaakt, een tamelijk ruwe hengel waar het slangetje houvast aan had. We lieten hem schuin in de geul neer. De slang zwom er een paar keer omheen en begon toen langzaam omhoog te klimmen, naar zon en leven en vrijheid.

'Voor Emanuele.' Sveva's stemmetje verwoordde mijn gedachten.

'Voor Emanuele,' herhaalden Hugh en ik.

De herinnering aan de lach van mijn zoon die ik nooit meer zou horen, echode tussen de hoge, grijze rotsen. Hij was dol geweest op groene grasslangen.

Het werd al snel duidelijk dat Sveva met haar korte ronde beentjes onmogelijk de tweede etappe kon halen, enorme rotspartijen die naar het vlakke, stenen plateau leidden dat Hughs einddoel was. Zelfs wij konden ons nauwelijks omhoogwerken.

De zon was bijna aan het einde van haar hemelboog. Nachtgeluiden begonnen zich te mengen met de klanken van de dag.

Hugh besloot af te dalen en om de Pike heen naar de achterkant te gaan waar het gemakkelijker klimmen was. We volgden onze wielsporen terug en op een bepaald punt verlieten we de gebaande weg en reden dwars over het terrein in de richting van de Pike. We parkeerden de auto op een kleine open plek bij een groepje acacia's. Hugh pakte een waterfles, liet de parkeerlichten branden en we gingen te voet verder.

De zon zakte al bijna achter een heuvelrug. Het zou snel donker worden en we moesten voortmaken. Ik vertrouwde op Hughs kennis van het terrein en dacht er niet aan op oriëntatiepunten te letten. Het gele, droge gras was hoog, maar de ondergrond zandig en tamelijk egaal, bezaaid met struiken. Moeilijk om hier sporen terug te vinden.

We volgden hem over smalle wildsporen en probeerden hem bij te houden tussen de hoge, doornige vegetatie die elk uitzicht benam, langzaam stijgende gangen tussen stekelige struiken door, de heuvel op die zwart afstak tegen de lucht.

Eindelijk bereikten we de achterkant van de Pike en klommen we naar boven. Het uitzicht was adembenemend. Oneindige, schitterende horizonten van kraters en kopjes en heuvels die vervaagden in het bleke blauw en roze van de zonsondergang, tot aan de voet van de Mount Kenya. De top van deze berg was gehuld in wolken die de volle maan nog aan het oog onttrokken; het zilveren randje rond de wolken en het parelachtige schijnsel aan de kim verrieden waar ze zich bevond.

Achter ons ging de zon aan de andere kant van de bergen onder. Boven ons stapelden de wolken zich echter snel op, verduisterden de hemel en verborgen de opkomende maan. De wind was gaan liggen. De wolken zouden niet voorbijdrijven. We kreunden van teleurstelling. We hoopten nog steeds dat het zou opklaren. We kletsten wat, dronken een slok water, zongen een liedje en toen was het ineens aardedonker.

Vanaf de slapende klippen blaften bavianen elkaar goedenacht. Het was een waarschuwend goedenacht, want dichtbij hoorden we de onmiskenbare, ritmisch raspende stem van een luipaard.

Het was al snel duidelijk dat het nog uren kon duren voor de maan zich vanavond zou laten zien. Als ik alleen was geweest, had ik geen moment geaarzeld en was ik daar blijven slapen, veilig op de gladde, warme ondergrond. Maar Sveva was moe en zou honger krijgen en het kon best eens gaan regenen.

We verlieten het plateau weer langs dezelfde weg, voorzichtig nu, en we kwamen in het dichte struikgewas terecht. We probeerden de weg terug te vinden, maar dat lukte niet.

Ik had een zaklantaarn bij me, maar het iele lichtje dat elke vorm absorbeerde en vervormde, maakte de ons omringende nacht nog donkerder, uitgestrekter en verwarrender. Elke melliforastruik zag er hetzelfde uit, beladen met de altijd identieke poederige, gele bloemen. Elke bocht in het zandige wildspoor zag eruit als de vorige. De heuvels waren nu onzichtbaar en zonder oriëntatiepunten moesten we wel in kringetjes ronddraaien.

Uiteindelijk schraapte Hugh zijn keel en draaide zich naar me om. Zijn diepe stem zonder lichaam zei wat we tot dan toe niet hadden durven toegeven: 'Lieve vriendin, ik ben bang dat we zijn verdwaald. Het spijt me.'

Bij het woord 'verdwaald' begon Sveva te jammeren.

Ik was nog nooit eerder verdwaald. Ik stond ervan te kijken hoe onzalig en onwaardig de gedachte alleen al was. Het ene idee na het andere kwam in mijn hoofd op, maar een oplossing vond ik niet. In mijn ontzetting werd ik ongeduldig en boos. De woede was voornamelijk ergernis om mezelf, om mijn stupiditeit: ik had me beter moeten informeren, beter om me heen moeten kijken en deze belachelijke situatie moeten voorkomen. Verdwaald nota bene, nodeloos verdwaald. Ruzie maken had geen zin. Ik vermande me.

'Jij hebt ons hier gebracht en jij haalt ons hier weer vandaan, Hugh Cole,' zei ik koeltjes tegen een terneergeslagen Hugh. Ik probeerde een kalmte en luchthartigheid in mijn stem te leggen die ik niet bepaald voelde.

Sveva's handje greep mijn schouder.

'Ik wil Wanjiru,' verkondigde ze met een zweem van opstandigheid in haar stem. 'En de askari en mijn kamer. En ik wil Morby.'

Morby was haar lievelingsknuffel, een zachte roze muis. Ze moest zich wel mijlenver verwijderd voelen van haar veilige, bekende wereldje. Ze hing kleintjes, verloren in de Afrikaanse nacht tegen mijn rug aan.

Ik stelde haar gerust: 'We vinden de weg straks wel. Het is hier juist ontzettend leuk. Geen enkel meisje dat we kennen heeft zoveel geluk als jij. Stel je voor, een echt avontuur om aan je vriendjes te vertellen. Nu ga je me helpen raden welke kant we op moeten. Intussen zoeken we een lekker plekje waar we kunnen zitten.'

Wanneer we weggelopen vee zochten in dicht struikgewas op een rotsige ondergrond waar je zelfs overdag niets zag, had ik Luka, onze vroegere spoorzoeker, vaak de wind zien ruiken als hij een onzichtbaar spoor volgde. Hij draaide nu en dan zijn hoofd en sloeg kordaat een onwaarschijnlijke richting in die altijd de juiste bleek te zijn. Ik wilde graag weten hoe hij dat voor elkaar kreeg en had hem vaak gevraagd het me uit te leggen. Hij keek me dan verwonderd aan, want het volgen van een instinct valt niet uit te leggen, en zei: '*Lazima jaribu kufikiria kama gnama, memsaab. Ngombe hapa utaenda kulia kufuata arufu ya maji – hama kutoroka arufu ya simba.*' ('U moet proberen te denken als een dier, memsaab. Een stierkalf zou hier rechtdoor gaan, op de geur van water af – of juist weg van de geur van een leeuw, begrijpt u wel?')

Dus probeerde ik te denken als een dier, oftewel mijn instinct zonder redeneren te volgen. Ik zei dat we een bepaalde richting op moesten gaan. Bijziend en in het donker, God mocht weten hoe ik dat aandurfde. Ik bad dat we geen buffel zouden tegenkomen die op weg was naar het water. We liepen aarzelend voort en stuitten steeds op doornen die aan mijn kleren rukten, aan mijn haar trokken en mijn blote benen schramden.

Ik deed mijn uiterste best de zaak van de zonnige kant te bekijken: het regende tenminste niet dat het goot, het was tenminste lekker warm en de lucht was vol bedwelmende geuren, eigenlijk was het een prachtige nacht. Ik was in Afrika waar ik altijd had willen zijn. We bevonden ons in een geheimzinnig gebied waar nooit een mens kwam. We beleefden een echt avontuur.

Bij elke bocht in het pad spitste ik de oren, beducht op een te nabij gegrom, een geritsel van bladeren. Tot onze stomme verbazing dook er ineens een breder wit pad voor onze neus op en met onuitsprekelijke opluchting realiseerde ik me dat het de weg was. Maar op welk punt? En waar was de auto? Links of rechts?

Het verstandigste wat we konden doen, was daar te blijven, een vuurtje te maken, nieuwsgierige dieren op afstand te houden en met een grote struik als bescherming in de rug te blijven wachten. Hugh zou verder gaan zoeken. Als hij bij zonsopgang nog niet terug was, zou ik zelf te voet proberen de weg te vinden. Er zat niets anders op. Het was veiliger daar te blijven zitten dan met een klein kind in het donker rond te lopen, vlak bij een drenkplaats. Allerlei dieren zouden zich hier 's nachts komen laven. Ik herinnerde me de vele sporen die we hadden gezien.

Bij het licht van mijn kleine zaklantaarn, die nu nauwelijks nog kracht had, verzamelden we wat twijgjes en grotere takken. Hugh legde handig een vuur aan, zoals hij als jongen al had geleerd. De oranje vlammen vonkten hoog op en de schaduwen weken terug tot een beweeglijke kring met randen vol geheimzinnigheid van waaruit talloze ogen ons in de gaten leken te houden. Ik kikkerde op van het vuur en Sveva lag nu rustig op mijn kaki trui te luisteren, net als ik.

Hugh bleef even staan en trok de sjaal van zijn hals.

'Op het punt waar ik deze weg verlaat, knoop ik hem aan een struik.' Hij grinnikte even. 'Weet je zeker dat het wel gaat?'

Hij boog licht en weg was hij.

De nacht rond ons vuurtje met zijn warme lichtkrans als een stipje in het universum, was zwart en onmetelijk, vol onbekende, versterkte geluiden. Rode en bruine teken maakten zich voor de vlammen uit de voeten, schuin als minuscule krabben.

Ik vertelde Sveva zonder ophouden verhaaltjes om de kreten van de hyena's en de dreigende klanken van het onzichtbare en het onbekende te overstemmen. Ik zat daar met mijn kind in de Afrikaanse nacht die deze ene keer niet van ons was. Ik legde zo nu en dan een nieuwe melliferatak vol doornen op het vuur en probeerde niet na te denken over wat ik moest doen als de leeuw die we op de heuvels hoorden brullen, besloot bij Fifty Guineas'

Pike te gaan drinken. De oren gespitst om elke fluistering op te vangen, om te nabij en te duidelijk steels geschuifel te duiden, een plotselinge brul die me heel even de adem benam, gesnuif, gestamp van zware hoeven over droge paden.

Mijn Italiaanse verleden was die nacht ver weg. Maar de gedachte dat we hier zo zaten, was van een primitieve schoonheid. We waren bevoorrecht. Waar was de rest van de wereld?

Met de onfeilbare kennis van een kind dat is geboren en getogen in de Afrikaanse wildernis, verbrak Sveva nu en dan de stilte met een opmerking:

'Mama, een hyena.' Er had een kreet weerklonken.

Plotseling getrompetter vlakbij: 'Olifant.'

En gekuch: 'Een luipaard.'

Ineens luid, onordelijk geblaf: 'En hij eet een baviaan op, mam.'

Ze had vermoedelijk gelijk. Afrikaanse geluiden vertellen hun verhaal veel welsprekender dan mensenwoorden.

We staarden in het vuur en wierpen er soms een nieuwe tak op. Mijn horloge had ik vergeten. De tijd tikte voorbij met het aloude geluid van knisperende sintels. Ik verzonk in gepeins, voelde me vredig en wist dat ik volmaakt veilig was. Een absolute kalmte en het gevoel dat ik op mijn plaats was.

Eerst langzaam, toen heel snel weken de grote wolken als golven uiteen en verscheen een kristalheldere lucht boven ons met een koele volle maan die in stilte hoog boven ons zweefde en zich niets van ons aantrok. Het was moeilijk te geloven dat het dezelfde maan was waarnaar op dat moment ook mensen keken vanuit een raam in Londen of een gondel in Venetië. De onbekende heuvels staken scherp af tegen de doorschijnende hemel en er brak een oorverdovend koor van krekels en kikkers los die de maan begroetten. Het waren vriendelijke geluiden, dichtbij, en ze vormden algauw een concert waaraan ook wij deel hadden. Er hing een zilveren magie op deze plek waar wij alleen waren, kwetsbaar en toch geaccepteerd door de wezens van de nacht. Ik liet het vonkende vuur uitdoven. Het was niet langer nodig.

Ik nam Sveva in mijn armen. Haar warmte en kindergeur gaven me een gevoel van troost en veiligheid. Ik besefte heel goed dat ik nooit meer de essentie van Afrika zou ervaren zoals in deze nacht. De tijd verstreek en ik was gelukkig.

Met spijt, niet met opluchting, hoorde ik veel later het gedempte geronk van een motor naderbij komen. De koplampen van de auto maakten een eind aan de betovering.

We lachten uitbundig als onbekommerde kinderen. Ik bedekte de gloeiende sintels met zand en klom in de auto, maar toen de zon opkwam en de vertrouwde vormen van de Laikipiaheuvels in zicht kwamen, vielen we stil.

Sveva sliep. Net als alle dromen vervaagde het avontuur in de dageraad en werd het een herinnering.

De ballade van de olifanten

Voor Z.K.H prins Bernhard der Nederlanden

Inzien dat een wezen van een andere soort wordt bedreigd door de eigen soort; dat wezen te hulp schieten; zijn aanvallers op afstand houden; het opnemen en in veiligheid brengen, dat zijn verstandelijke overwegingen (...) die waarachtig mededogen en andere subtiele emoties impliceren.

IVAN T. SANDERSON, *The Dynasty of Abu: A History and Natural History of Elephants and Their Relatives, Past and Present*

Zijn adem schijnt hoofdpijn bij de mens te kunnen genezen.

CASSIODORUS, *Varia* X, 30

De laatste jaren is wonderlijk gedrag bij olifanten waargenomen.

J. SHASHANI, *General Information on Elephant with Emphasis on Tusks*

De man strompelde op primitieve, van takken gemaakte krukken naar mijn auto. Zijn koortsige ogen onder de wijde tulband tuurden naar mij boven ingevallen wangen.

'*Jambo!*', zei hij beverig tegen me. '*Jambo memsaab. Mimi ni ile ulikufa mwaki hi. Unakumbuka mimi? Ulitembelea musijana yako na ngamia.*' ('Ik ben de man die dit jaar is doodgegaan. Kent u me nog? Uw dochtertje reed vaak op mijn kamelen.')

Natuurlijk herkende ik hem. Hij heette Borau, de kameeldrijver van de Boran-stam die jarenlang voor ons in Laikipia had gewerkt. Hij hoedde elke dag de kamelen en kwam vaak naar Kuti om Sveva's kameel te leiden toen zij op vier- of vijfjarige leeftijd een hevige hartstocht voor kameelrijden had ontwikkeld. Hij sprak voortdurend met zijn kamelen in de oude kamelentaal die was ontwikkeld gedurende generaties van nauwe betrekkingen met deze uitzonderlijke wezens, de edelste dieren onder het Afrikaanse vee en van essentieel belang voor het voortbestaan van zijn stam en de daaraan gerelateerde Somaliërs.

'*Toh toh galla,*' en de kameel boog zijn knieën om te gaan zitten.

'*Oh. Ohohoh oh galla,*' en de kameel liep.

'*Ahiaeh ellahereh,*' en de kameel dronk.

'*Kir kir kir,*' en de kameel ging steeds sneller draven, en zo verder.

Elke dag bracht Borau zijn kudde bij zonsopgang naar de weidegrond. Tot hij op een dag de olifant tegenkwam.

Een gewone septemberochtend met een dieproze hemel en de stilte van de dageraad. De contouren van de acacia's tegen de zwarte horizon, kwetterende vogels in de *lelechwa*-struiken en een ronde, gele, vlammende zon die opsteeg in een gloed van naderende hitte.

De kamelen hadden geduldig gewacht, herkauwden hun voedsel met het brosse geluid van afgesleten tanden en zaten op knobbelige knieën de ochtenddrukte in de boma door treurige oogharen gade te slaan.

Een kop hete, kruidige thee om de slaap te verdrijven, een mok zure kamelenmelk; aanwijzingen, bevelen en daar gingen ze op pad, de staf resoluut over Borau's schouder, vandaag naar *marati* Mbili.

Borau hield van zijn werk. Hij wist niet anders dan dat hij voor de kamelen uit liep en zijn tred behendig aanpaste aan hun ritme – hij leek wonderlijk veel op hen met zijn lange passen, zijn dunne benen met de zware gewrichten, gemaakt om zonder pauzeren te lopen – of achter ze aan liep, de grote, zachte voeten volgend die geen stof opwierpen en alleen een keurig ronde afdruk achterlieten, als de schaduw van een blad. Hij wist waar ze het liefst graasden en wat ze nodig hadden, als alle herders die hun leven aanpassen aan dat van de dieren die ze hoeden. Kamelen vormden zijn hele bestaan.

De kamelen moesten vandaag drinken en Borau besloot zich in de marati te wassen. De kamelen dronken eerst en rekten hun halzen uit naar de troggen, aangespoord door het lied van het water, een bijbelse, triomferende weeklacht zo oud als de noodzaak om te drinken.

'Hayee helleree, oho helleheree.'

Na het drinken begonnen de kamelen meteen te grazen; ze knabbelden met grijplippen aan de bosjes en vulden hun kieskeurige monden met carissa-bladeren. De zon stond nu hoger aan de hemel en Borau ontdeed zich van zijn *shuka* en zijn hoofddoek om zich te wassen.

Op dat moment begon de grote mannetjeskameel die door een leeuw was toegetakeld een van de vrouwtjes het hof te maken, waarop haar bronstige mannetje meteen tussenbeide kwam. Deze forse, dominante kameel viel de ander van achteren met angstwekkend gegorgel aan en joeg hem woedend weg. De jongere kameel stoof de bosjes in en was ogenblikkelijk uit het zicht verdwenen.

Het is opmerkelijk hoe snel de Afrikaanse jungle dieren volledig kan opslokken. Bladeren huiveren even wanneer de struiken zich weer sluiten als rimpelingen in het water na een plonzende steen, een stofwolkje dat in de lucht hangt, even een ranzige geur, adem die plotseling wordt ingehouden, misschien een glimp van een schaduw die te snel wegduikt om goed gezien te worden. Het enige wat overblijft zijn sporen van rennende poten midden op het pad die aantonen dat er net een kudde dieren is voorbijgekomen.

Borau holde achter zijn kameel aan terwijl hij zich ondertussen weer aankleedde. Hij volgde de ronde pootafdrukken, maar raakte het spoor al snel bijster in een wirwar van verse olifantensporen bij een modderige waterpoel. Hij zocht en zocht tevergeefs. Uit de overvloedige olifantensporen die alle andere hadden vertrapt, bleek dat het om een grote kudde moest gaan die uit het zicht was. Hij kon maar beter teruggaan naar de andere kamelen om te voorkomen dat ze bang werden en alle kanten op vluchtten.

Uit de tekenen maakte hij op dat de olifanten ergens vóór hem moesten zijn. Niet dat dit iets uitmaakte: Borau was daar wel aan gewend. Hij moest alleen op zijn hoede zijn en ervoor zorgen dat hij niet met de wind mee liep zodat zijn geur hen niet zou alarmeren. Heel licht lopen, de grond nauwelijks beroeren, als een impala.

Algauw kreeg hij de achterkant van twee olifanten tussen de salie in het oog, niet meer dan een paar passen voor hem. Hij liep voorzichtig achter hen om, alle zintuigen gespannen om hen niet op te schrikken.

De wijfjesolifant die hem stilletjes volgde, hoorde hij niet. Hij zag haar pas toen het al te laat was.

Hij wierp instinctief een blik over zijn schouder: een grote, hoge schaduw die de zon een ogenblik verduisterde, de scherpe geur van oude mest en hooi, hete adem in zijn nek en op zijn schouders. Een geel oog een eind boven hem dat hem strak aankeek. Grote grijze oren plat tegen de grijze slapen. Een lange, opgekrulde slurf die vervaarlijke slagtanden ontblootte. De gruwelijke zekerheid dat de olifant achter hem aan zat en dat hij niet kon ontsnappen.

In blinde paniek zette Borau het op een lopen. Zonder enig geluid rende de olifant achter hem aan. Het was een hoogzwanger vrouwtje, jong genoeg om in een oogwenk een dodelijke snelheid te ontwikkelen, oud genoeg om zich te herinneren dat de mens het enige gevaar vormt voor de olifant. Oud genoeg om bij een groep te hebben behoord die in een stropersval was gelopen, waarbij de pijnkreten en de geur van het bloed van haar gevallen soortgenoten een onuitwisbare indruk bij haar hadden achtergelaten.

Het is bekend dat wijfjesolifanten overbezorgd worden en vaak prikkelbaar en agressief reageren vlak voor en vlak na de bevalling.

Borau bleef rennen, lette niet op doornen en takken die zijn kleren scheurden, blind door het zweet in zijn ogen. En terwijl hij liep, wist hij dat hij zou sterven.

De gedachte aan een slank meisje, fluwelen ogen lachend onder de hoofddoek; een mok kamelenmelk, dampend in de koele ochtendlucht; de kreet van een kind dat naar hem toe rent; het vertrouwde, holle geluid van de kamelenbel. De onbereikbare, simpele dingen van zijn verloren leven.

De grond dreunde door de olifantspoten en door het bonzen van zijn hart. Hij keek radeloos om zich heen naar een schuilplaats, een boom om in te klimmen, maar in dichtbegroeid lelechwa-land groeien geen bomen. De onbewogen en ondoordringbare lelechwa ging nu over in een open mbogani bezaaid met boomwortels en takken. Hij struikelde en viel voorover op de harde grond, zijn neus in het stof. Met een ruk draaide hij zich om en keek op. De olifant was boven hem.

Zonder enig geluid zakte ze naast hem op haar knieën. In één beweging werden de slagtanden hoog opgeheven en in zijn been gestoten. De slagtanden hadden de kleur van boter, maar waren hard als speren die zijn been doorkliefden alsof het boter was. Een bot dat brak met het geluid van een brekende tak. Geen pijn. Alleen een zich verspreidende verdoofdheid.

De olifant torende boven hem uit en keek neer op zijn kronkelende lichaam alsof ze zeker wilde weten dat hij haar niets meer kon doen. Langzaam en vastberaden lichtte ze haar poot hoog boven hem op. Hij gilde.

Ze schrok van dat vreemde geluid, verstijfde, de poot bleef aarzelend hangen en op dat moment greep Borau zijn kans en begon hij te pleiten. De kamelen begrepen het, dus waarom deze olifant niet?

'Hapana. Hapana, ndovu. Wacha, kwenda. Akuue mimi, tafadhali

akuue rafiki yako.' ('Nee. Nee, olifant. Laat me met rust en ga weg. Dood me niet, alsjeblieft, dood je vriend niet.')

Had de wijfjesolifant ooit eerder een menselijke stem gehoord? Het onbekende geluid, de verwarrende, nooit gehoorde klank drong haar wijdopen oren binnen. Ze leek te luisteren. Haar grote oren flapten één, twee keer. De poot kwam neer op het weerloze gezicht, maar niet om te pijnigen. Hij bleef halverwege hangen, daalde verder en raakte hem aan.

Borau schrok zo dat hij vergat zijn gezicht met zijn handen te beschermen. Maar de nagel van de olifant bleef aan zijn tulband haken en trok deze los. De stof viel over zijn ogen. De voetzool dwaalde langzaam over de gehele lengte van zijn jammerende lichaam en bleef dralen bij zijn hoofd en borst om die beter te voelen. De zware poot beroerde hem; hij zag de kloven in de zool die waren ontstaan door duizenden kilometers lopen over doornen en stenen. De poot onderzocht hem verrassend zacht, alsof de vrouwtjesolifant de klank van pijn en angst in zijn kermende stem begreep.

Na een tijdje stapte ze achteruit. Borau kreeg meer zelfvertrouwen, zwaaide met zijn armen en riep uit alle macht het bevel voor de kamelen om te gaan draven:

'Kir kir, kir kir.' ('Hollen, hollen.') Hij schreeuwde nog harder.

De olifant schudde haar kop enkele malen heen en weer als om dat geluid te verjagen, stampte in het stof om hem heen, keerde zich om en ging er trompetterend vandoor.

Hij was nu alleen met de cicaden, die de plotselinge stilte met hun geestdriftig gezang vulden.

De pijn kwam kloppend opzetten, Boraus mond was uitgedroogd, zijn been nat van bloed en urine. Hij probeerde zich te bewegen en in de richting van het pad te kruipen. Maar hij kon het niet.

Misschien zouden de kampbewoners hem op een gegeven moment missen; als de avond viel, zouden ze hem gaan zoeken en hem vinden. Maar als de avond viel, zouden ook de hyena's komen, de leeuwen en de kleine zadeljakhalzen met hun begerige bekken. Als een schaap of een stierkalf was verdwaald en

’s nachts buiten de boma rondzwierf, viel het steevast ten prooi aan de roofdieren van de nacht.

De geur van bloed, de geur van angst zou alle aaseters aantrekken. Vreemd trouwens dat er nog geen gieren waren; alleen de indrukwekkende aanwezigheid van de olifant kon hen hebben afgeschrikt, maar hij wist dat ze niet lang op zich zouden laten wachten.

In Afrika was altijd wel een gier te zien, hoog in de lucht, dicht bij de zon, die met zijn scherpe ogen de vlakten afzocht naar een stervend dier. De gieren zouden als bommen uit de lucht komen vallen, op een tak landen en hun vleugels om zich heen vouwen. Eerst een, dan nog een en nog een, tot alle bomen in de nabije omgeving er zwart van zagen en de lucht vol sinistere geluiden was. De gieren zouden wachten met het geduld van een doodgraver, maar lang zouden ze niet hoeven wachten.

De groteske gier die het eerst op de ogen afging zou met onbeholpen sprongetjes, flapperende vleugels en rauw gegniffel vlak bij hem gaan zitten. Voor zijn geestesoog spookten visioenen van dood en slachting. Het besef van zijn totale weerloosheid: gewond, verpletterd, niet in staat zich te bewegen, alleen te moeten sterven in de wildernis, een gemakkelijke prooi voor alle dieren van de Afrikaanse nacht. Het besef van zijn eigen noodlot: hij die zo vaak was ontsnapt aan malaria, aan de greep van hoge koortsen, aan infecties en wilde dieren... Was het de wil van Allah dat hij op deze manier aan zijn einde kwam?

Hij merkte aan de veranderende geluiden van de wildernis dat de zon die hij elke ochtend begroette en waar hij elke avond tot bad, onderging. Hij probeerde met Allah te praten. Was God zo ver verwijderd van dat lelechwa-land? Hij bad om gezelschap, welk gezelschap dan ook. En hij merkte al snel dat God had geluisterd en dat hij niet langer alleen was.

Langzaam, door de mist van zijn diepe ellende heen, realiseerde Borau zich dat er levende wezens in de buurt waren. Ze verzamelden zich stilletjes, hun aanwezigheid alleen verradend door een knappend twijgje, een rommelende maag, geschuifel, een diepe zucht, ritselende bladeren. Ze maakten bijzonder weinig geluid en ze kwamen naar hem toe. Hun grote voeten kwamen zachtjes op de grond neer. Ze liepen met het grootste gemak door de struiken heen en met de kalmte van dieren die niets te vrezen hebben, en algauw vielen hun grote, grijze schaduwen over hem heen.

En Borau besefte zonder angst dat de kudde olifanten was teruggekomen.

Ze waren opgehouden met eten om poolshoogte te nemen en nu kwamen ze nieuwsgierig en onbevreesd kijken wat dat voor bevend diertje was op de grond. Eerst de jonge dieren onder de hoede van de matriarchen. Ze renden met uitstaande oren op hem af en stopten vlak bij hem om hem met oplettende ogen te bekijken. Daarna, een voor een, kwam de complete kudde dichterbij, tot ze allemaal om hem heen stonden te kijken.

Met koortsige ogen keek Borau op naar de olifanten terwijl zij op hem neerkeken. Hij staarde in hun gele ogen die hem vriendelijk opnamen en hij wist dat ze hem niet zouden aanvallen. Hij was er wonderlijk genoeg van overtuigd dat ze hem juist zouden beschermen tegen de nachtelijke gevaren en dat, zolang zij hem bewaakten, geen roofdier in de buurt durfde te komen.

Heel lang stonden ze hem zwijgend op te nemen en al die tijd praatte Borau tegen hen. Met de koppen naar beneden en de oren wijd open leken ze te luisteren naar de universele taal van pijn en overgave.

Een slurf ging omhoog, strekte zich naar hem uit, en nog een. Aarzelend raakten ze hem allemaal met hun slurf aan, roken aan hem, betastten hem zo zacht als de zorgzame hand van een vriend die je verpleegt. Rustig, heel rustig en voorzichtig onderzochten ze hem, zonder haast, alsof ze hem op zijn gemak wilden stellen.

Inmiddels was de avond gevallen; er klonken kreten op van parelhoenders, graskrekels, boomkikkers en nachtzwaluwen. De olifanten begonnen als stille wachters in zijn buurt te eten. Zo nu en dan kwamen ze terug om hem te strelen. Ze aten en ze kwamen hem controleren, als om zichzelf gerust te stellen dat hij er nog steeds was en dat alles in orde was, als om hem gerust te stellen dat zij bij hem waren en hem beschermden.

De tijd verstreek. Borau kroop in elkaar op het koele, stekelige gras, bevend van koorts en shock, bijna bewusteloos, maar hij voelde zich in hun machtige bescherming volkomen veilig.

Ze wachtten om hem heen terwijl de avond voortschreed en wie weet hoe lang ze dat zouden hebben volgehouden. Zelfs toen het geluid van een motor de nachtstilte verbrak, bleven ze wachten, alert nu, met opgeheven koppen om de wind te ruiken, klaar om te vluchten voor het enige dier waarvoor ze bang waren. Koplampen doorboorden de nacht, stemmen klonken op, de motor ronkte nu dichterbij, naderende wielen deden de struiken wijken.

Pas toen – alsof ze gerustgesteld waren nu anderen hun taak zouden overnemen – verdwenen de olifanten geruisloos in het donker, zoals een school dolfijnen terugkeert naar de oceaan als de schipbreukeling aan wal is gebracht en kan worden overgelaten aan de zorgen van de reddingsbrigade.

Cobra uit het duister

*Todo dejó de ser, menos tu ojos.**

PABLO NERUDA, *Cien Sonetos de Amor*, 'Noche XC'

Het gevoel blijft dat er 's nachts een jongeman in de schaduwen onder de bomen in de tuin rondwaart. Soms voert de wind een stem mee die zich mengt met het lied van de spreeuwen bij volle maan en de kristallen kreten van de boomkikkers bij de visvijver. Een zwakke stem, als de echo van mijn herinneringen en de ongrijpbare essentie van dromen.

En dan, als ik alleen ben in het binnenste van mijn huis, beschermd door mijn honden die tevreden om me heen liggen te

* Ik zag niets meer, behalve jouw ogen.

slapen op het tapijt en de vlammen in de haard afzwakken tot nog levende, gloeiende sintels, dan komt hij terug.

Als ik in de stille kamer aan mijn bureau zit, is er ineens iemand bij me. Ik draai mijn hoofd niet om. Ik blijf kijken naar de foto die aan de muur hangt, een vergroting van de foto die Oria na de laatste picknick bij de bron heeft gemaakt. Voor altijd rijdt hij hard en zonder om te kijken over mijn muur in de richting van de heuvels, voorovergebogen over het stuur van zijn motor, een rode stofwolk achter zich aan.

Soms, als ik in de avondschemering alleen een wandeling maak, zoek ik zijn verloren stem, zinnen die al zijn uitgesproken en voor altijd weg zijn. Ik denk aan zijn manier van lopen, hoe hij zijn hoofd schudde om het haar van zijn voorhoofd weg te houden of om een gedachte te verdrijven. Maar het beeld komt en verdwijnt weer te snel: het is al opgelost voor ik het kan pakken en proeven, voordat ik het kan vastzetten in de zandloper van mijn heden.

Ik ruik niet langer de warme geur van zijn jonge, zondoorstoofde jongenshuid, alleen de lucht van buffels en olifanten, jasmijn en salie, die zich mengt met de oostenwind vol vogelgeluiden en het gedruis van opgeschrikte gazellen en wegspringende hazen. Het enige wat nooit verdwijnt, is zijn oogopslag.

Vanuit de nevelsluiers van mijn droombeeld dook alleen zijn hoofd op. Zijn mond krulde zich langzaam in een stralende glimlach en de resolute, vastberaden ogen bleven me aankijken zonder te knipperen of te staren. De achtergrond leek een onaardse, intense, helblauwe tint aan te nemen, trillend van een kosmische straling die ik voelde maar niet kon verklaren.

Een gladde gestalte, een glanzende, gemarmerde huid en glimmende kraalogen, soepel opgerold vlak onder zijn kin. Ik schrok op.

'Ik kan hem zien. Hij lijkt sereen en vredig. En hij kijkt ernstig. Vreemd, er hangt een slang om zijn nek.'

De vrouw met de rode sari glimlachte. Haar witte haar was kort als van een man, maar een lok raakte de dunne, rode, naar boven gerichte pijl die midden op haar voorhoofd was geschilderd. Haar ogen fonkelden als donkere kolen en straalden mededogen en warmte uit, vermengd met de uitzonderlijke gave van een volledig geïntegreerd, diep inzicht.

Ze legde haar hand op de mijne en ogenblikkelijk voelde ik de warmte van haar droge handpalm. De bruine, met zilveren en gouden ringen getooide hand bleef even op de mijne rusten en ik werd overweldigd door een diepe vrede en een grote kalmte. Ik sloot mijn ogen en nog voor ze sprak, wist ik dat haar woorden vele vragen waarmee ik worstelde zouden beantwoorden en dat het goed zou zijn. De eigenaardige, mysterieuze band die Emanuele had met alles wat Indiaas was.

'Haal diep adem, Kuki. Om zijn karma te voltooien moet je precies doen wat ik zeg. Het doet er niet toe of je erin gelooft of niet. Een mens doet zo vaak dingen zonder te weten waarom. Het kan geen kwaad. Met Sveva samen, de eerste avond dat jullie terug zijn.'

Door het grote raam zag ik het indrukwekkende silhouet van de almachtige berg met de besneeuwde top die minzaam boven ons uit torende en mij zo onverklaarbaar vertrouwd was. Ik had gehoord dat sommige mensen hem bedreigend, benauwend vonden en er angstig van weg vluchtten. Ik ervoer de kracht als beschermend: de berg verdiende ten volle de oude Indiaanse naam 'Moeder'.

Stilaan lengden de schaduwen van de ondergaande Amerikaanse nazomerzon en ineens kleurden de granieten rotsen aan de top diep bloedrood. Voor het eerst begreep ik waarom de bergen 'Sangre de Cristo' heetten. En hun bloed was het mijne, dat van iedereen, van de treurnis van het universum en van Emanuele.

De melk stroomde in de kom. Sveva trok de kan terug en keek me aan.

'Ik denk dat het zo wel genoeg is. Kom mee.'

Gevolgd door onze trouwe honden liepen we de bijna donkere tuin in.

Een andere korte zonsondergang met vlottend blauw en grijs en violet. Onze gasten hadden zich teruggetrokken om zich te douchen en om te kleden voor het avondeten. Sveva en ik waren alleen en dit was het juiste moment.

Achter in de tuin vlamde het vuur op dat de askari zojuist had aangestoken; het gaf evenveel licht als de tanende gloed van de ondergaande zon en stak nog niet af tegen de invallende nacht.

De honden renden vooruit terwijl ze opkeken naar de houten kom die Sveva in haar handen droeg. We slaagden er samen in de kom zonder een druppel te morsen vast te zetten in de vork van Emanueles boom, zodat de honden de melk niet konden oplikken.

Naast elkaar staand, zoals ons was gezegd, mompelden we de woorden die de Indiase priesteres ons had geleerd, de monotone vedische mantra in het Hindi. Vreemde, troostende woorden die we niet begrepen.

Ik realiseerde me ineens dat de klanken en het beoogde doel van de mantra in wezen niet anders waren dan die van een christelijk, mohammedaans of joods gebed of van een heidense bezwering: het ging om het menselijke instinct te trachten de onverklaarbare oneindigheid die we God noemen te vatten. De onbekende betekenis, die de klanken esoterisch, magisch en op een bepaalde manier plausibeler maakte, evenaarde het onaanraakbare mysterie van de dood. Om uiteenlopende redenen, in verschillende talen maar met vrijwel identieke rituelen, waren miljoenen mensen op hetzelfde moment met eendere hoop aan het bidden tot dezelfde Onbekende, die ze alleen een andere naam gaven.

Op het snel donker wordende Keniaanse hoogland stond het Latijnse gemurmel in de kerken van mijn jeugd dichter bij me dan ooit tevoren.

De echo van *ohm* ebde weg, zwevend op de vleugels van de overtrekkende nachtplevieren die met hun stemmen een regen van pijlen naar de hemel zonden. Het vuur brandde fel, aangewakkerd door de wind. Ik streelde beide stammen. Het zachte, gele dons van de koortsbomen ving de warmte van de zon op als een menselijk lichaam.

Hand in hand liepen Sveva en ik terug. De visvijver weerspiegelde een halve maan. Tussen de papyrus, waar de kleine, zilverachtige boomkikkers zich altijd verborgen en hun keeltjes tot parelachtige bollen opbliezen voor een klokjeslied vol trillers, was geen beweging te bespeuren. We beschenen het nog glanzende water met onze zaklantaarn, maar we zagen geen goudvissen, loom verdwijnend onder de waterlelies of het salviniatapijt. De visvijver leek die avond vreemd stil. We liepen terug naar huis, waar in de haard ook een vuur was aangestoken.

De volgende ochtend vroeg gingen Sveva en ik vol nieuwsgierigheid kijken, met onze nachthemden nog onder onze kaftans.

Tijdens de nacht leek er niets te zijn veranderd. Al van een afstand zagen we dat de houten kom nog op dezelfde plaats stond, tussen de takken van de kleine koortsboom. Ik zette Sveva op mijn heup zodat ze tegelijk met mij kon kijken. Nijvere kleine mieren holden over de pluizige bast. Hoog in de boom tussen de vervlochten takken die de ochtendzon filterden, vloog een spreeuw weg. We hielden onze adem in en keken.

De kom was leeg.

We liepen zwijgend terug en durfden onze gedachten waarop geen antwoord was niet uit te spreken. Sveva wierp een stukje van haar toost in de visvijver. Dat deed ze wel vaker. Het brood botste tegen de drijvende waterplanten, rimpelingen raakten de blauwe waterhyacinten, maar geen enkele vis of kikker kwam van de bodem naar boven om het voedsel op te eten. Alle leven leek uit de visvijver te zijn verdwenen. Hoogst merkwaardig. Ik ging een tuinman zoeken om hem te vragen of er een ibis of een ooievaar was geweest die de vissen had opgegeten. De enige shamba boy die ik aantrof, had er geen gezien.

Het was al donker toen we die avond na een lange dag van wild opdrijven thuiskwamen met de auto vol gasten en vrienden. We praatten over de troep bavianen die altijd in de hoogste bomen bij Marati Ine zat, vlak boven de vergane boomstam waar Emanuele zijn eerste cobra had gevonden.

De tuinmannen stonden bij het buitenste hek te wachten. Ik stopte om te vragen wat er aan de hand was.

'*Bunduki,*' ('Een geweer') zei Francis. '*Ulikwa nataka kuomba askari na bunduki kuua nyoka.*' ('We willen graag een bewaker met een geweer halen om de slang dood te schieten.')

Mijn nekharen kwamen overeind. Ik had het gevoel dat ik een blik in het oneindige had geworpen en een vertrouwde, maar nog niet duidbare schakel had ontdekt. Ik zette de motor af en iedereen luisterde mee.

'Welke slang?'

'*Ile ya jana ausiku. Ulikwa kwa kaburi. Ulingia magi ya samaki.*' ('De slang van gisteravond. We zagen hem bij de graven, maar hij verdween in de visvijver.') Dat verklaarde de spookachtige stilte.

'Wat voor slang?' Mijn stem weigerde bijna. Sheelah had ons verteld welke slang het moest zijn: de slang die was gewijd aan Shiva, de dodelijkste, de heiligste aller slangen.

'*Kiko,*' ('Een cobra,') zei Francis. Hij liet zijn stem dalen tot een eerbiedig gemompel: '*Lakini sisi badu kuona engine kama yeye hapa. Ile kubwa, ile nasemamisa juu.*' ('We hebben hier nog nooit eerder zo'n slang gezien. Het is zo'n grote die recht overeind komt.')

De reusachtige oerwoudcobra, de koningscobra, de heiligste van allemaal.

'Mama!' Sveva schreeuwde in de afwachtende stilte. 'Precies zoals Sheelah had gezegd. We moeten haar laten weten dat het is gelukt. De mantra heeft gewerkt. Alles is nu in orde met Emanuele.'

'*Akuna bunduki,*' zei ik alleen maar. '*Wacha hio nyoka. Yeye alikuja, na yeye taenda, kufuata ingia ya Mungu yake.*' ('Laat die slang met rust. Hij zal gaan zoals hij is gekomen. Hij volgt zijn eigen weg en die van zijn goddelijke geest.')

De volgende ochtend gingen Sveva en ik naar de visvijver. Wevervogels vlogen af en aan en waren druk doende repen papyrus af te scheuren voor hun nest. Er vloog een kleine wolk muggen rond en libellen dartelden schokkerig van een crèmekleurige waterlelie naar een blauwe.

Toen Sveva haar brood in het water wierp, doken tientallen

grote en kleine vissen uit de modderige bodem omhoog en vochten om de deinende kruimels.

De cobra was verdwenen. De ziel kon rusten.

De terugkeer van Aidan

Ik wacht op een welkom geluid, het geklingel van zijn kamelenbel.
ISOBEL BURTON, *Letter to Lady Paget*

De magie van de Oostafrikaanse hooglanden schuilt in de avonden, wanneer de geluiden, de kleuren, het hele wezen van de lucht veranderen en er ineens windvlagen opsteken die verhalen van oorden ver weg met zich meevoeren. Dan kun je je indenken dat alles mogelijk is, en terwijl de zon dieprood licht vergaart alvorens onder te gaan, worden we overmand door al onze herinneringen, al onze gebeden en alle tranen die we ooit hebben vergoten en die ons hart nu beklemmen met vaak ondraaglijke pijn.

Ik liep tegen de wind in met al mijn honden voor me uit en om me heen in een kluwen van staarten en blij geblaf. Ik liep over de landingsstrook op Kuti naar de door euphorbia overwoekerde groene heuvels en ik zag een kudde olifanten traag door het kreupelhout in de richting van de achter de bomen verscholen watertank lopen.

Plotseling stoven de honden achter een enorm mannetjeswrattenzwijn aan. Hun felle geblaf werd verzwolgen door de lengende schaduwen. Ik vond een oude mierenhoop die groot genoeg was om op te zitten en daar hurkte ik neer met mijn sjaal om me heen, mijn voeten op een uitgebleekte, kronkelige mutamayo, om mijn dagboek bij te werken. Oogstmieren spoedden zich naar hun hol met de laatste gele zaden van de dag. In de indigoblauwe lucht dreven grote, diep koraalrode wolken. De Mugongo ya Ngurue-heuvel stak zwart af tegen de zonsondergang.

De laatste jaren was ik hier vaak tijdens mijn avondwandeling heen gelopen. Alleen, soms met Sveva, en nog niet zo lang geleden met Robin, wiens haar de kleur van gebleekt gras bij zonsopkomst had en wiens verfrissende, oprechte lach een balsem voor mijn wonden was. We waren als vrienden uit elkaar gegaan en sindsdien bestond mijn enige gezelschap uit de honden – en uit mijn intense hunkering naar de man die me meed.

Enkele jaren na Paolo's dood, toen ik een eenzaam leven leidde dat alleen werd gevuld met mijn kinderen – Emanuele, in die tijd een tiener, en Sveva, die pas na Paolo's dodelijke ongeluk was geboren –, had het lot me op een dag naar een bruiloft op het platteland gevoerd, en daar had ik hem ontmoet. Mijn geliefde stak boven de menigte uit en ik herkende hem. Op zijn eigen merkwaardige, geheimzinnige manier herkende hij mij ook.

Een tijdlang deelden we de muziek van mijn beschutte slaapkamer, we kenden elkaars gezicht bij kaarslicht en de geuren van wierook en liefde en snijbloemen in een vaas. Ik kende ook zijn arm die uit het raampje van zijn witte auto zwaaide in het grijze licht van de vroege ochtend, zijn diepe stem die mij gedichten voorlas, het gevoel van zijn sterke, veeleisende lichaam, de strakke blik van zijn levendige blauwe ogen.

Ik gaf hem alles wat ik te geven had. Maar de tijd was nog niet rijp. Hij moest gaan en liet me smachtend achter op de bodem van mijn eenzaamheid, maar hij nam de metaforische sleutel tot mijn deur met zich mee, want hij hield toen al – en voor altijd – de sleutel tot mijn diepste ik in zijn lange, slanke handen.

Ik miste Aidans mannelijke aanwezigheid, zijn diepe stem en onderzoekende ogen, de subtiele poëzie en de onverklaarbare aantrekkingskracht die uitging van de solitaire nomade en de echte pionier, van de man die alleen ging en vertrouwd was met de natuur. Aidan was niet bang in de jungle en zijn kalme zelfverzekerdheid kwam voort uit zijn kennis van en liefde voor het ongetemde, de onbekende planten en de paden die nog nooit door mensenvoeten waren betreden.

Ik miste hem met een hunkering die ik niet kon benoemen, en met een geduld dat ik anders nooit opbracht en een redeloos vertrouwen wachtte ik jarenlang op zijn terugkeer. Wanneer ik in

Laikipia was, liep ik elke avond met maar één hoop naar deze landingsstrook. Was de kracht van mijn verlangen maar een magneet, dan wist ik dat hij zou worden teruggetrokken. Als de tijd rijp was, zou ik klaarstaan.

Ik luisterde naar de vertrouwde geluiden van de Afrikaanse avond. Parelhoenders en nachtzwaluwen, de jammerklacht van een hyena ver weg, zwak geloei van vee dat naar een voor mij niet zichtbare boma achter de Kutiheuvel werd geleid. De olifanten waren zoals altijd de grootste en rustigste dieren van allemaal. Alleen een knappende tak en een rommelende maag verraadden hoe dichtbij ze waren. Aan de horizon kwam een witte maansikkel op. Ik wachtte rustig en met een diep gevoel van vrede op de vriendelijke duisternis. Mijn honden waren teruggekomen en vormden nu een beschermende kring van warme, hijgende lichamen om me heen. Stilte rondom. Vanaf de termietenheuvel kon ik zonder angst rondkijken.

Plotseling was er een geluid achter de boomtoppen in een roerloze, parelende lucht. Het klonk als het verre gezoem van een hardnekkig insect. Het kwam snel dichterbij en werd steeds luider in de stilte van het magische uur.

Ik wist meteen wat het was en op hetzelfde moment zag ik het. Een wit vliegtuigje kwam vanuit het oosten laag over de bomen en glijdend over de donkerende heuvels aangevlogen, recht op me af. Het was veel te laat om met een klein vliegtuig rond te vliegen: over enkele minuten zou het donker zijn en het kon nergens in de beschaduwde afgronden en valleien van de Rift landen, tenzij... Langzaam stond ik op en alle honden met mij.

De wind voerde het geluid weer mee, en daar was het, cirkelend boven de Kutiheuvel in de richting van Nagirir, lager, steeds lager, de witte vleugels uitgestrekt als een vogel die huiswaarts keert. Voordat ik mijn gedachten bijeen kon rapen en de oplaaiende emoties en de wilde harteklop in mijn keel onder controle kon krijgen, was het al in een wolk van stof geland.

Ik liep onzeker naar het midden van de baan, terug naar het zilveren maanlicht. Het vliegtuig glinsterde in het laatste schemerlicht, draaide de neus in mijn richting en kwam tot stilstand.

Ik hield met kloppend hart mijn hand boven mijn ogen en liep er langzaam en ongelovig naar toe. Jarenlang had ik gedroomd dat dit op een dag zou gebeuren.

Een paar weken eerder had ik een brief ontvangen die in een muf oud boek stak, een zeldzame eerste uitgave van een autobiografische roman van zijn lievelingsoom. Het verhaal was zo boeiend en de gepassioneerde schrijfstijl zo meesterlijk, dat het boek me sindsdien niet had losgelaten. En in de brief – de eerste sinds jaren – een ongrijpbare belofte: 'Vaak praat ik tegen je, jij die op mijn schouder zit. Er is veel veranderd. Op een avond kom ik je opzoeken... Als je ooit...'

En daar was hij dan, zoals altijd onverwacht. Hij landde voor de eerste keer op de landingsstrook die ik in vroegere tijden van ellende voor hem had aangelegd. Zoiets gebeurt alleen in verhalen. Nog voor de lange schaduw uit het vliegtuig sprong, was ik al aan het rennen. Ik bleef een paar meter voor hem staan. Hij was nauwelijks veranderd. Een slank, levend beeld met brede schouders, onderzoekende ogen in een ernstig, gebruind gezicht, een rechte neus, dik krullend haar, stevige zachte lippen. Hij deed een stap naar voren. Ik deed een stap naar voren. We zetten samen een stap en hij knelde me zonder een woord tegen zijn borst.

'Ik ga nooit meer van je weg,' fluisterde hij tegen mijn mond.

En zo keerde Aidan terug.

Op de vleugels van de wind

Ter nagedachtenis aan Tim Ward-Booth

... en zweefde op de vleugels van de wind.
BIJBEL, *Psalm* 18:11

Het leven in Kenia, met zijn uitzonderlijke schoonheid en talloze mogelijkheden, de onbegrensde ruimte en spectaculaire landschappen die wemelen van de wilde dieren, de meren en woestijnen, de bergketens en oneindige stranden, de savannen en door de wind geteisterde hoogvlakten en de wouden, trekt heel bijzondere mensen aan die risico's en uitdagingen beschouwen als een wezenlijk onderdeel van de safari van het bestaan. Ze vliegen bij maanlicht en landen in het donker, ze jagen in hun eentje op leeuwen en buffels in het dichte struikgewas, of op krokodillen, tot hun middel in het water van rivieren en meren, en in hun eentje beklimmen ze bedrieglijke bergen. Ze verkennen te voet onbekende gebieden waar reizigers worden overvallen door bandieten, en woestijnen zonder water. Ze duiken in wateren vol haaien en bevaren met een lichte boot roerige zeeën. Ze trotseren malaria, gele koorts en tropische ziekten. Ze wagen zich vlak bij gevaarlijke dieren om ze te bestuderen of te filmen. Ze tarten vrolijk het gevaar en hoewel een aantal van hen het niet overleeft, slaagt een groot deel daar wel in.

Maar voor velen van hen, net als voor sommige mensen die een conventioneler leven leiden, is het einde van hun avontuur gewoon een weg en een vrachtwagen die niet stopt.

De verharde wegen in Kenia zijn uitermate onveilig, bevolkt als ze worden door aftandse voertuigen en onverantwoordelijke chauffeurs die op volle snelheid voortrazen, zich niets van de regels aantrekken en een spoor van chaos en ellende achterlaten. De ergste weg is de Mombasaweg, waar elk jaar honderden mensen omkomen bij afschuwelijke ongevallen, waarvan de meeste voorkomen hadden kunnen worden. Zo is Paolo gestorven en tientallen kennissen van mij. Een van hen was Tim.

Als ik aan Tim denk, nu zijn aardse leven voorbij is en zijn lichaam rust op een heuveltop met uitzicht op de woestijn in Noord-Kenia, even dicht bij de hemel als tijdens zijn leven, herinner ik me vooral het geratel van zijn laatste helikopter, mijn eerste.

Jaren geleden, toen we elkaar net hadden ontmoet, had hij me de schaduwen van de Mukutankloof in gevlogen. Het oorverdovende geluid dat een helikopterpropeller maakt, doet me altijd denken aan een reusachtig insect dat met zijn vleugels fladdert in een laatste verwoede poging om te vliegen. Boven dat lawaai uit was zijn stem duidelijk en diep. 'Ben je er klaar voor?'

Hij draaide zich grinnikend naar me om. Ik zag de krullen op zijn fiere hoofd, de knappe, mannelijke trekken, de Romeinse neus. Hij deed me aan Paolo denken.

Zoals bij alle mannen die zelf vliegen, waren zijn ogen anders: doordringend en toch rustig, ze weerspiegelden de ongereptheid en reinheid van de ruimte boven de prairies van wolken, oneindig ver verwijderd van de vervuilde wereld der krioelende wezens beneden.

Tim was een van de mannen die je bijblijven lang nadat de echo van hun voetstappen in de gangen van de tijd is weggestorven. Mannen die niet lang leven. Van wie je je niet kunt voorstellen dat ze oud worden. Hij was hartelijk en tegelijkertijd gereserveerd, sterk en toch zacht. Hij dwong ogenblikkelijk respect af. Hij sprak weinig. Hij liep kaarsrecht en moeiteloos op zijn lange, dunne benen en zijn huid was goudgebruind door de tropische zon.

Ik keek door het ronde raampje naar de steile klippen, begroeid met aloë en stekelige euphorbia, en ik zag in de diepte het dichte tapijt van palmen en vijgenbomen dat de bodem van de Mukutankloof bedekt. Al jaren had ik naar de voor mensen onbereikbare diepten gewild van de kloof die alleen toegankelijk is voor adelaars, gieren en moedige zilveren helikopters.

Die gelegenheid deed zich kort na de dood van Emanuele voor, toen Robin in mijn leven was gekomen en hij een jungleavontuur verfilmde waarin een helikopter werd neergeschoten in Nyahururu, het vroegere Thompson's Falls, een kilometer of zeventig van Ol Ari Nyiro. Tim was de helikopterpiloot. Ik nam een kijkje op de set en 's avonds nodigde ik Tim uit om met Robin en mij mee te gaan naar Laikipia voor de nacht. En om ons de Mukutankloof te laten zien. Hij ging meteen akkoord en we vertrokken.

Ik was er klaar voor. Ik knikte, mijn hart bonkte in mijn hoofd en mijn gezicht gloeide toen we op het punt stonden loodrecht de diepte in te duiken, opgesloten in die hachelijke metalen machine die klonk als een verdwaasde libelle. Ik keek naar Robins achterhoofd. Hij zat voorin. Zijn nek spande zich en zijn blauwe overhemd was nat van het zweet.

De ruwe en vlakke rotswanden waren loodrecht en stortten zich genadeloos de diepte in: alleen Tims bekwaamheid, vervolmaakt tijdens de Falkland-oorlog, kon ons door de nauwe doorgangen voeren. Ineens viel alle angst van me af. Hij was één met zijn machine, alert en de situatie volkomen meester, even uitgebalanceerd, licht en precies als de vogel op de wiegende boomtop die ik met verbazing had gadegeslagen op de Seychellen.

Tim concentreerde zich op de instrumenten, zijn klassieke profiel kalm en tijdloos als de portretten van krijgers die op Romeinse munten zijn gegraveerd. Zijn ogen vernauwden zich en we vielen langs de loodrechte wanden van roze en grijze steen in de richting van de groene boomtoppen, bijna duizend meter lager.

Ik ervoer dezelfde mengeling van verrukking en vrees, van fysieke misselijkheid en geestelijke opwinding die een kind voelt als het voor het eerst in woeste vaart van de steilste, hoogste baan suist op de kermis.

Ineens waren de groene bladeren te dichtbij en raakten ze bijna de helikopter. Even scheerden we tastend over de boomtoppen, als een vogel die een tak zoekt waarop hij veilig kan landen. Toen zweefden we horizontaal over de nauwe bodem van de vallei, onder watervallen door, langs verstrengelde lianen en weelderige dracaena's, apen en adelaars en verlaten meertjes. En weer omhoog naar de rand van het ravijn, waar granietrotsen al duizenden jaren waakten over de stilte en de mysteriën die alleen bekend waren aan de Afrikaanse dieren.

We kwamen weer boven in de andere, winderige wereld op de top van de hoogvlakte, de grenzeloze uitgestrektheid van de kammen van de Jaila ya Nugu, de Nagirir, de Kurmakini, de Mlima ya Kissu en de vertrouwde, dierbare klippen van de Mugongo wa Ngurue.

De zon had de vallei verlaten en schaduwen verspreidden zich snel over de heuvels. We draaiden schuin en laag boven het struikgewas, dreven enkele woedende olifanten uiteen, buffels keken op, vastgenageld aan de grond op hun gedrongen poten, deze keer eerder verwonderd dan agressief.

We landden op mijn gazon op Kuti. Het personeel en de honden vormden op enige afstand een verbijsterde groep; vol ontzag keken ze naar het vliegende ding van een andere planeet dat in de schemering neerdaalde. Ze klapten in hun handen en sprongen lachend op en neer toen ze zagen dat Robin en ik uitstapten en met de wind in de haren op hen afrenden, Tim achter ons aan. En hij schaterde het uit.

Het was een middag in Lewa Downs, jaren later. Deze keer stond ik naast Aidan. Tim was zijn neef geweest. Het was een onwezenlijk tafereel. De schoonheid van Afrika en de emoties hingen zwaar in de lucht.

In de nevelige middag reden auto's in alle soorten en maten achter elkaar naar de top van de heuvel. Ze parkeerden in keurige rijen, vlak onder de vier legerhelikopters die er misplaatst uitzagen op de grashelling. De mensen stapten zwijgend uit en liepen naar de top, waar een halfdozijn Afrikaanse askari's in groene kaki-uniformen een saluerende rij vormde, de geweren voor zich en een bedroefde trek op hun bewegingloze gezicht.

Het haar en de rokken van de vrouwen bewogen in de lichte bries en in de wolkeloze hemel vloog een eenzame gier, vlak bij de zon. Een paar giraffen kuierden op hun gemak naar de schaduw van een gele koortsboom in het dal en in het noorden strekten eindeloze bleeklila heuvels zich uit tot aan de horizon.

Een in het zwart gekleed meisje stapte uit een terreinwagen. Ze had op de Mombasaweg gereden, richting Nairobi, toen ze midden op de weg een lichaam had zien liggen. De vrachtwagen die hem had aangereden was verdwenen – het was net gebeurd. Het was Tim. Ze had hem moedig achter in haar auto gelegd en hem rechtstreeks naar het ziekenhuis in Nairobi gebracht. Alleen in Afrika kan zoiets nog gebeuren.

Ze liep naar de in het wit geklede vrouw, zijn moeder. Ik stelde hen aan elkaar voor en keek eerbiedig toe hoe zij elkaar omhelsden. De eerste vrouw die hem levend had gezien en de laatste. Ontmoetingen op de grens van het menselijk bestaan.

Mensen troffen elkaar op die heuveltop bij Lewa Downs op de middag van de begrafenis; mensen die van ver waren gekomen voor het laatste afscheid, die elkaar goed kenden of nog nooit hadden ontmoet. Enkelen zouden goede vrienden worden, anderen zouden elkaar nooit weerzien en de volgende dag de draad van hun eigen leven weer oppakken.

Toen werd de stilte verbroken door een vreemd, ritmisch geluid in de lucht. Ik keek op. De gier was verdwenen. Even onverwacht als de eenhoorn uit de legenden dook nog een helikopter op. Hij landde op de top van de heuvel. De muziek zette in als een klaagzang. De deuren gingen open. Alle mannen ontblootten hun hoofd en Tims vrienden kwamen naar voren om zijn kist op te lichten. Ze droegen hem in stilte naar de rand van de heuvel, waar ze hem neerzetten tussen kransen van heide, geplukt op de woeste gronden van de Mount Kenya.

Ineens, met een overweldigend geklapper van wiekende vleugels, kwamen twee helikopters boven de top van de heuvel samen. Ze bleven eindeloze seconden lang boven het dal hangen, de neus gericht naar de kist die op dezelfde hoogte stond, in een dramatisch, eervol saluut. Een man in uniform speelde *The Last Post* terwijl de tranen over zijn wangen rolden.

De ring en het meer

... of spreek tot de aarde, en zij zal u onderrichten.
BIJBEL, *Job* 12:8

In Colorado is een heel bijzondere plek die Baca heet, een immense ranch aan de voet van de Sangre de Cristobergen met ijle, bedwelmende lucht, met trage, dieprode zonsondergangen en zuiver, gouden licht, zoals ik alleen van het Keniaanse hoogland ken.

’s Morgens dalen herten de besneeuwde berg af die ‘Moeder’ wordt genoemd; je kunt ze net als de impala’s ongestoord zien grazen op de verbleekte graslanden die me aan de savanne doen denken. De bloemen zijn geel en blauw en blijven lang in bloei; de wilde salie op de hellingen, die de Indianen vaak bij hun ceremoniën gebruiken, ruikt net als de lelechwa, de wilde salie die in Laikipia op de kammen van de Riftvallei groeit. In Laikipia kun je Baringo zien, een van de vele meren waaraan de Riftvallei haar faam dankt, en in Baca heb je uitzicht op de grote Saint Louis Valley, ooit een immens meer dat nu is opgedroogd; je kunt de nabijheid van water proeven in de geur van de wind, in de vegetatie van naaldbomen, cactussen en kruiden die het Middellandse-Zeegebied in herinnering roepen, in de verdorde, zandige grond die doet denken aan de oevers van een Afrikaans meer, en in het verbazingwekkende wonder van de Great Sand Dunes, een eeuwig veranderende Sahara in het klein, van een adembenemende schoonheid, met bevende lijnen die lijken op de patronen die terugtrekkende golven bij eb achterlaten.

De plek was vermaard om zijn spirituele krachten en werd sinds mensenheugenis door alle Amerikaanse Indianenstammen gebruikt als vredesgrond, waar ze hun oorlogen vergaten en hun strijdbijlen konden begraven, hun goden vereren en zich wijden aan de heilige ceremoniën van hun tradities.

Hier leerde ik Sheelah kennen. Ze was een Indiase priesteres van een oude vedische sekte, een van de religieuze groeperingen die de verlichte nieuwe eigenaars van Baca hadden binnengehaald om de plaats te laten voortbestaan als een spiritueel toevluchtsoord op grotere schaal voor alle oude godsdiensten van de wereld.

Ik verkeerde in een fase van bezinning na de dood van mijn man en mijn zoon. Ik had samen met mijn dochtertje Sveva de uitnodiging geaccepteerd van Maurice Strong en zijn vrouw Hanne, die in Laikipia bij me te gast waren geweest en de uitzonderlijke overeenkomsten tussen beide plekken hadden opgemerkt. Ik voorvoelde dat ik in Baca iets kon vinden wat mijn wonden zou helpen genezen.

'Morgenochtend om zeven uur is er bij de kreek een vuurceremonie. Kom ook,' zei Hanne de eerste avond.

Bij de graven in Laikipia, achter in mijn tuin, werd elke avond een vuur ontstoken. Vuur had voor mij iets evocatiefs en zuiverends en het idee van een vuurceremonie intrigeerde me. We gingen erheen.

We volgden een overschaduwd pad langs een vriendelijk murmelend beekje naar een open plek waar een groep mensen zich had verzameld rond een groot vuur in een kuil in de grond.

Symbolische offergaven van fruit, bloemen, rijst en honing lagen bij elkaar aan een kant; een grote klomp bergkristal weerkaatste het ochtendlicht en een dun sliertje wierookdamp dreef omhoog in de koude, heldere lucht.

Een van de mensen in de kring was een kleine vrouw met een rode sari. Ogenblikkelijk had ik het wonderlijke gevoel haar eerder te hebben ontmoet en toen ze zich omdraaide, me aankeek en glimlachte, wist ik dat ik haar altijd al had gekend.

'Ik ben Sheelah Devi Singh. Welkom bij onze vuurceremonie.'

In haar bruine ogen gloeide een helder, fel licht; ze nam mijn hand en haar vingers waren heet en droog en brandend. Een omgekeerde pijl met een rode punt was als een vlam op haar voorhoofd geschilderd; het vuur wierp een oranje schijnsel op haar olijfkleurige huid en kortgeknipte witte haar: vanaf het allereerste moment voelde je dat Sheelah een en al vuur was.

Het was een eenvoudig ritueel met mantra's en oude liederen in het Sanskriet om moeder aarde voor haar gaven te danken, haar symbolische offeranden terug te geven en haar te vragen ons vrede en gezondheid te schenken. De ceremonie was troostend, tijdloos, en een gevoel van blijvende harmonie, van rust daalde op me neer. Het was goed om iets terug te geven van wat we namen. Ik heb sinds die tijd gemerkt dat wat je weggeeft altijd terugkomt, vaak in een andere vorm en op een andere manier.

Daarna heb ik Sheelah vaak gezien, zowel in die periode als tijdens de bezoeken die ik in de loop der jaren aan Baca bracht, en een enkele maal nam ik deel aan de vuurceremoniën in de vroege ochtend. Ze behoorde tot de Rajput, de nobelste van alle stammen, wiens krijgers met speren ten strijde trekken. Na een uitzonderlijk leven had ze haar religieuze roeping gevolgd en hoewel ik door mijn rationele, onafhankelijke geest nooit een specifiek geloof heb kunnen aanhangen of mijn spirituele zoektocht duidelijk heb kunnen benoemen, putte ik in die periode van mijn leven troost en een positieve kracht uit haar filosofie en haar muziek.

Tussen ons leek zich een band ouder dan vriendschap te ontwikkelen. Samen met haar had ik de onvergetelijke ervaring van transcendente meditatie door diep te ademen, zodat ik mijn eigen lichaam ontsteeg en werd teruggevoerd naar een vergeten verleden waar beelden van vroegere levens zich voor me ontsloten en me een overweldigend gevoel van intense vrede en volmaakt geluk gaven.

Indiase religies hebben me altijd gefascineerd. Sheelah legde ze me met een onnavolgbare mystieke eenvoud uit en als ze bij haar harmonium zong, riep de klank van de onbekende woorden wonderlijke echo's van herinneringen in me op.

Kort voor Sveva's achtste verjaardag gingen we in de zomer enkele weken naar Baca; we wisten niet dat Sheelah helemaal uit Bombay, waar ze nu woonde, overkwam voor Sveva's verjaardag. Acht is een gunstig getal in de oosterse traditie.

Sveva zou op de achttiende dag van de achtste maand in 1988 acht worden; we bevonden ons op een hoogte van achtduizend voet; er waren veel mensen aanwezig en toen we hen telden, leek het geen toeval dat het er achtentachtig waren.

Ik gaf Sveva acht cadeaus; het laatste was een toverstokje.

Sheelah had geschenken meegenomen van oud zilver, wierook en zijde en Hanne had een vroegere hippie uit Boulder gevraagd voor Sveva op zijn cimbalen te komen spelen om de goden gunstig te stemmen. De rillingen liepen ons over de rug van de in de ochtendlucht weerkaatsende klanken.

Tijdens de speciale vuurceremonie voor haar verjaardag droeg Sveva rode kleren, en met een bloem achter haar oor, het lange blonde haar los, zag ze er beeldschoon uit. Ze nam alles in zich op met de ernstige gratie die haar eigen was en ik had het gevoel dat de kennismaking met verschillende aspecten van de menselijke zoektocht naar het oneindige, nu ze nog zo jong was, alleen maar kon bijdragen aan haar innerlijke rijkdom.

Een dag voor onze terugkeer naar Afrika knielde Sheelah ineens voor me neer en nam de twee gouden ringen die haar middelste tenen sierden van haar voeten. Zonder iets te zeggen schoof ze de ringen aan mijn tenen. Haar bruine ogen keken me liefdevol en warm aan, maar ook met een ondoorgrondelijke sibillijnse afstandelijkheid. Haar stem klonk monotoon en bijna hypnotiserend.

'Je zult ze dragen als een echte Rajputana en ze nooit verliezen. Je moet moedig zijn. Je bent mijn zuster en we zullen elkaar weerzien, misschien nog tijdens dit leven. Je zult over de hele wereld reizen en door vele mensen omringd worden. Je zult een boek schrijven en de komende jaren zullen vol actie zijn. Je droom zal door hard werken bewaarheid worden. Je moet het zelf doen en je zult slagen. Denk eraan dat jij het in de hand hebt. Geef het nooit op. Je hebt nog veel te doen. Emanuele heeft vrede gevonden en Paolo ook...'

Ze keek naar Sveva, die naar haar en mij glimlachte met Paolo's ogen.

Sinds die dag heb ik de ringen altijd om mijn tenen gedragen. Als iemand er iets over zei, antwoordde ik dat er een lang verhaal achter zat.

Ik schreef mijn boek, waardoor ik enkele jaren geen tijd had om naar Baca te gaan. De Gallmann Memorial Foundation groeide en slokte al mijn tijd en aandacht op. Ik schreef 's nachts, als een uil, om mijn gewone werk er niet onder te laten lijden. Ik zette het onderwijsproject ter herinnering aan Emanuele op. Ik ontwikkelde allerlei activiteiten in Laikipia, Aidan vloog terug in mijn leven en bracht hartstocht en avontuur met zich mee, Sveva groeide harmonieus op en ik voelde me voldaan.

Sheelah heb ik nooit teruggezien.

Enkele jaren later hoorde ik dat ze was overleden na een val van haar paard in Baca. Ik miste haar, maar ik wist dat ze op een voor een trotse Rajputana gepaste wijze was heengegaan. De ringen werden me nog dierbaarder.

Soms verloor ik er een als ik op blote voeten door het gras of over een dik tapijt liep of als ik in bed lag, maar ze kwamen op mysterieuze wijze altijd terug. Ik begon op den duur te geloven dat ik ze nooit kon verliezen en dit werd een standaardgrapje onder mijn personeel in Laikipia.

'*Pete yangu ulipotea tena,*' ('Ik ben mijn ring weer kwijt,') zei ik tegen Julius. '*Sisi tapata, tu. Wewe awesi kupotea hio pete kamili,*' ('We vinden hem wel, u kunt die ring niet echt verliezen,') antwoordde hij dan glimlachend.

En inderdaad kwam hij, of Simon, of Rachel, of een van de tuinmannen, enkele uren later met mijn teenring aanzetten.

De ringen van Sheelah werden een soort talisman en als ik ze zag glanzen aan mijn tenen voelde ik me altijd trots en dankbaar. Er ging een zekere troost van uit.

De afgelopen zomer vlogen Sveva, Aidan en ik naar het Tanganjikameer. We landden op een minuscule, in het weelderige tropische oerwoud uitgehakte landingsstrook, vlak bij een geheel uit natuurlijke materialen opgetrokken dorp. Plastic, blik en cement hadden de oevers van het meer nog niet bereikt.

Het was een uitzonderlijke plaats die nog in vervlogen tijden verkeerde; de zogenaamde beschaving had daar geen verandering in kunnen brengen.

Toen we met de boot op weg naar ons kamp langs een schiereiland buiten het dorp voeren, zagen we een griezelig staaltje van hekserij, net als in Burtons verslag van zijn eerste expedities: zeven dode katten hingen aan de struiken om de watergeesten gunstig te stemmen.

Langs het meer groeiden bijzondere bomen en tot Aidans vreugde een wirwar van zeldzame planten. Het was een heerlijke tijd vol liefde en geluk.

We woonden in een vorstelijk kamp van witte tenten op een wit strand, twee uur rijden van het vliegveldje. We waren de enige gasten in dit betoverende oord. Elke dag liepen we het bamboebos in om de schuwe chimpansees te zoeken. We zwommen in het koele water en gingen tegen de avond met de boot op pad om in rivieren waar nooit iemand kwam gele en zwarte visjes te vangen die verrast leken ons te zien.

De laatste dag maakten we een lange wandeling over de berg, een magische omgeving vol vlinders, wonderlijk kruipend gedierte en lianen. Het was snikheet en na al dat klimmen en dalen over de heuvels snakten we naar het koele water van het meer, zo transparant als de helderste zee. We trokken onze schoenen en kleren uit, lieten ze in de steeds groter wordende schaduw van een enorme mangoboom liggen en holden het meer in om te zwemmen.

Toen ik met mijn voeten in de golven langs de oever terugliep naar het kamp, merkte ik dat een van mijn ringen was verdwenen. De stroming was behoorlijk sterk en het water deinde als in de oceaan. Het strand was bezaaid met schelpen en kiezels en daalde steil af in het meer. Mijn voeten zakten weg in het zand en het was onmogelijk een niet-drijvend voorwerp ooit terug te vinden als het eenmaal was meegezogen door het water. Het zag ernaar uit dat mijn ring deze keer voorgoed was verdwenen. Ik voelde me intriest en naakt.

We liepen vele malen het strand op en neer, vergeefs tussen de stenen zoekend naar een gouden glinstering, maar we wisten dat het zinloos was. Onstuimige golven veegden de oevers onophoudelijk schoon. De klassieke naald in de hooiberg zou oneindig veel gemakkelijker te vinden zijn geweest dan mijn teenring in het meer.

Een wit kringetje om mijn teen gaf de plek aan waar de ring had gezeten. Het zou na verloop van tijd wel verdwijnen, want ik zou er geen andere om doen.

Ik voelde me enkele uren terneergeslagen, maar toen de schaduwen langer werden, legde ik me bij het verlies neer en besefte ik dat ik het moest accepteren en van me afzetten. Ik besloot er een speciale, positieve gift aan het Tanganjikameer van te maken ter nagedachtenis aan Sheelah.

Bij haar vuurceremonie had ze tot de aarde gesproken en haar symbolisch teruggegeven wat de mensheid zonder dank nam: planten, water, geuren, mineralen. Een gouden ring was een volmaakte offergave.

Bij zonsondergang liepen Sveva en ik naar het meer. Het viel ons allebei op dat de hemel wonderlijk genoeg even diep bloedrood was als tijdens de zonsondergangen in Colorado. We zegden plechtig een bijna vergeten mantra op die Sheelah ons destijds had geleerd, de mantra van het geven, die na elke offerande eindigt met het woord *swahah*.

Ik moest even aan de Venetiaanse dogen denken die elk jaar een kostbare ring in de lagune wierpen als een symbolisch huwelijk met de zee. Zonder spijt schonk ik het grote meer de ring die het al had genomen, onder dankzegging voor zijn schoonheid en het geluk dat we er hadden beleefd. 'Tanganjikameer, ik bied u mijn ring. Ik ben blij dat als ik hem toch moest missen, u hem hebt genomen. Swahah.'

Ik voelde me hierna opgelucht, alsof ik wist dat het zo goed was. Hand in hand liepen Sveva en ik terug naar Aidan en onze tenten.

We hadden de volgende ochtend gepakt en de boot lag klaar om ons terug te brengen naar de landingsstrook in het oerwoud. Ik keek voor de laatste keer mijn tent rond voordat we vertrokken.

De man kwam de kooktent uitgerend en bleef vlak voor me staan. '*Memsaab*,' zei hij, '*nafikiri hio ni yako*.' ('Dit is van u, denk ik.') '*Ulikwa kwa muchanga*.' ('Hij lag in het zand.')

Hij had iets in zijn hand: het glansde en in het ochtendlicht leek het te knipogen.

Het meer met al zijn geheimen lag daar goedmoedig en gul te glinsteren.

Terwijl Aidan en Sveva zonder een woord te zeggen toekeken, stak ik met bonzend hart mijn hand uit om mijn ring terug te nemen.

De regenstok

Voor Isabella

Er was geraas in de wind de hele nacht,
de regen viel in zware stromen neer.
WORDSWORTH, *Resolution and Independence* I

Het vliegtuig kwam in een rode stofwolk tot stilstand; de motoren bulderden toen de neus naar ons toe draaide. Het meisje sprong eruit, gekleed in beige linnen, mooi, nog bleek van de reis en de Amerikaanse winter.

'Ik hoorde dat het hier zo droog was,' waren haar eerste woorden en ze gaf me een langwerpig pakje in bruin papier.

Ze keek om zich heen. Aan weerszijden van de landingsstrook op Kuti staken uit de harde fluorietkorst skeletachtige struiken en stoffige, gele grasssprieten, een stille bevestiging van haar woorden. Het was nu al voor het tweede achtereenvolgende jaar kurkdroog geweest. Van de groene, weelderige vegetatie was niets meer over dan doornen en stof.

'Hier heb je mijn cadeau: een regenstok die ik heb gekocht in de Amerikaans-Indiaanse winkel in New York. Hij schijnt onfeilbaar te zijn.' Ze grinnikte. Haar prachtige ogen glinsterden van gouden schalksheid. 'Ik hoop dat hij werkt. Zo te zien is het hard nodig.'

Het was de ochtend van 24 december en op mijn grote veranda, onder de dakbedekking van makuti, stond de opgetuigde kerstboom ontheemd te blikkeren in de genadeloze tropenzon. De lucht was heet, onbeweeglijk en droog, zonder enige hoop op regen. De sproeiers op het gazon draaiden langzaam en vermoeid hun rondjes en spoten plichtmatig water op de bloembedden dat ogenblikkelijk werd opgezogen door de dorstige bodem. Vogels kwamen zich baden en schudden tjilpend van plezier hun veren op en de grijze goegoeko's lieten vanuit de boomtoppen hun schorre middagkreten horen, gemelijk als altijd.

Ik wilde de regenstok nog niet uitpakken omdat het een kerstcadeau was, maar toen ik hem aannam, maakte hij een wonderlijk geluid van stromend water, een vloeiende klank van druppels die over de gehele lengte met een hartstochtelijke intensiteit neervielen. Het klonk als een heftige, overvloedige regenbui op een strodak: een vergeten geluid. Als iets regen kon oproepen, was het wel deze stok.

Wanneer had het hier voor het laatst geregend? Het leek eeuwen geleden. De ergste droogte in Kenia sinds mensenheugenis vernietigde de oogst, de dieren en de mensen. Langs de noordgrens heerste een ongekend ernstige hongersnood: in de trillende hitte lagen naast opgedroogde waterpoelen verschrompelde kamelenkarkassen in het zand en elke dag stierven mensen als mieren door ondervoeding, dorst, naamloze ziekten en vervlogen hoop.

Het was een afschuwelijke tijd geweest. Gedurende de laatste twee jaar met nauwelijks enige regen waren onze waterputten opgedroogd. In de grote stuwmeren waren eilanden verschenen, het water had nog nooit zo laag gestaan en de oevers vertoonden stoffige randen van ongezond groen riet op de hoogte waar vroeger het water had geklotst. Algen verstikten het leven onder water. Wolken van opgezwollen, dode tilapia verschenen aan de oppervlakte en vergiftigden de diepten. Ons vee was er slecht aan toe en we moesten veel dieren verkopen; de rest van de dieren probeerde te overleven op een karig dieet van takken, stof en zout. Elke dag vonden we dode buffels. Magere gazellen met treurige ogen en een ongezonde vacht stonden troosteloos bijeen en likten het stof. Zelfs de machtige olifanten zagen er schriel uit: de ribben staken door hun geplooide huid en elke nacht weer bestormde de ene kudde na de andere mijn tuin, de enige groene oase in de verre omtrek. De ranch was stervende en we konden er niets tegen ondernemen.

Het was eind december en vóór eind april hoefden we geen regen te verwachten. Maar we konden het onmogelijk tot die tijd volhouden. Er moest een wonder gebeuren en de regenstok kwam dan ook als geroepen.

Toen ik eindelijk toegaf aan mijn nieuwsgierigheid bleek de regenstok niet meer dan een dik stuk bamboe te zijn, de uiteinden versierd met een rood en een zwart zijden lint. Het was een knap en vakkundig stukje handwerk. Toen ik hem oppakte en omkeerde, viel een onzichtbare stroom zaadjes naar beneden langs de uitsteeksels die hier en daar aan de binnenkant waren aangebracht, hun val onderbraken en een geluid van verborgen castagnetten veroorzaakten. Precies het geluid van regen die op een dak klettert. Ik nam hem in triomf mee naar de keuken en legde het personeel uit waar het onfeilbare tovermiddel toe diende.

'Ni miti ya mvua. Natoka ngambo, mbali, kutoka mganga ya asamani. Ni kali sana.' ('Met deze stok kun je regen maken. Hij is in een ver land overzee door oude medicijnmannen gemaakt. Hij is heel krachtig.')

Ze bezaten het onvoorwaardelijke Afrikaanse geloof in talismans en geloofden me meteen.

'Tasaidia sisi,' verklaarde Simon, de kok, plechtig, de magie eenvoudigweg aanvaardend. '*Asante sana.*' ('Hij zal ons helpen. Dank u wel.')

De anderen knikten wijs en raakten het occulte regeninstrument vol eerbied aan. Naïef schudde ik de stok krachtig in de lucht en smeekte de goden om regen. Rachel en Julius klapten in hun handen, maar lachten niet. Met mysteriën spot je niet.

Geloof het of niet, maar die nacht begonnen de eerste aarzelende druppels loom op het blikken dak van de slaapkamers te vallen. Januari is een van de droogste maanden van het jaar in Kenia. Het was hoogst onwaarschijnlijk dat het de komende maanden zou regenen. Ik werd wakker van het geluid, stak een kaars aan en keek uit het raam. Een koele wind voerde enkele warme druppels mee. Ik pakte de regenstok van mijn nachtkastje en rammelde er nog maar eens mee.

Was het schijn of werd het geluid van de regen echt sterker? Was het toeval? Zinsbegoocheling? Het leek er wel op, want de zon was de volgende dag even heet als altijd. Maar de vage afdrukken van regendruppels op de stoffige oprit overtuigden mijn personeel, dat me kwam vragen de goden nog eens te smeken met de regenstok.

En toen gebeurde het. Het begon bijna ongemerkt. Een verandering in de wind. Donkergrijze stapelwolken die vanuit het oosten opkwamen en zonder te stoppen voorbijdreven als troepen onbekende schapen in de stille lucht. 's Morgens vroeg het geluid van donderslagen ver weg en 's avonds een krans van zilver die de zon verduisterde. Een bewegingloze lucht en op het heetst van de dag een plotselinge kilte met driftende schaduwen.

Toen kwam het bericht dat het in het noorden boven de Chalbiwoestijn regende. Op een ranch die Borana heette viel op één dag een paar centimeter regen. Iedereen stond paf.

We wilden een paar dagen naar Kitich, een kampeerterrein in het Samburugebied op de Mathews, een schrale bergketen met bossen, oude palmvarens en schitterende rivieren. Ik vloog er met Aidan en Sveva heen, terwijl Jeremy Block in zijn vliegtuig achter ons aan kwam met zijn vader en een paar vrienden.

De bergen waren in wolken gehuld en naarmate we dichterbij kwamen, konden we de regen steeds duidelijker ruiken. Zelfs vanuit de lucht konden we natte plekken op de paden zien. De landingsstrook was zo nat dat we er niet hadden kunnen landen als hij niet zo zanderig was geweest. Jeremy vertrok ogenblikkelijk weer naar de Colchecchio-ranch om nog enkele vrienden op te halen.

'Dat lukt je nooit, met al die regen,' grapten we.

Regen op Colchecchio in januari was volslagen onmogelijk. We lachten, maar op de een of andere manier hadden we allemaal een vreemd voorgevoel. Toen ik opkeek, leken de wolken die de bergtoppen in mist hulden steeds dichter te worden.

Onze twee volgepakte Landrovers slipten door de modder en gleden steeds opzij. Met veel moeite staken we twee keer een rivier over die voor onze ogen leek te stijgen.

De gids schudde zijn hoofd: 'Als het vanavond blijft regenen, raakt het pad geblokkeerd en kunnen we onmogelijk door de rivier terug.' Hij keek beduusd. 'Zoiets hebben we nog nooit meegemaakt sinds ik hier werk.'

We kwamen onderweg een magere zwarte geit tegen die tevreden werd voortgedreven door twee oude, verweerde Samburu. De rode en witte glazen kraalversieringen glinsterden als kleine geweien aan hun oren. Ze wilden een lift, maar er konden onmogelijk nog twee mensen en een geit bij in de auto's. De Samburu liepen door en zwaaiden naar ons.

'*Ni mbusi kwa chui*,' legde de chauffeur uit. ('Die geit is voor de luipaard.') We bekeken haar nieuwsgierig. Ze was broodmager en had een opgezwollen buik.

'*Aua tachinja yeye, na sisi taweka nussu ju ya miti*.' ('Ze wordt geslacht en dan hangen we de helft aan een boom.') Hij lachte breeduit: '*Sisi takula nussu*.' ('De andere helft eten we zelf op.') '*Chui iko na jaa mingi. Yeye taingia kukula leo ausiku bile ya shaka*.' ('De luipaard heeft een ontzettende honger. Hij zal vanavond zeker komen om haar op te eten.') En wij zouden toekijken hoe de luipaard op het aas afkwam.

We zagen de onschuldige geit nietsvermoedend haar noodlot tegemoet trippelen. Vreemd genoeg was het niet echt wreed, want de luipaard kwam toch elke nacht een geit stelen en het kamp zou er een kopen voor de stoofpot van het personeel. Dat deze geit werd opgeofferd, kwam de Samburu goed uit. Iedereen had geld nodig na die lange, vreselijke droogte.

We vorderden zo langzaam in de modder dat de twee oude Samburu tegen de tijd dat wij het kamp bereikten daar al op hun stok geleund stonden en de onfortuinlijke geit gelukkig al was ge-*chinjad*.

Onze nieuwe, comfortabele tenten stonden vlak bij het water. De rivier was gezwollen en tot onze verrassing zagen we dat er zware boomstammen werden meegevoerd. Op de beboste bergtoppen moest het hevig hebben geregend.

Kort na onze aankomst begon het te miezeren en 's middags regende het zo hard dat we onze tenten niet meer uit konden. Enkele tenten moesten verplaatst worden omdat het almaar stijgende water er al tegenaan klotste. De enige droge plekken waren onze bedden, waarop we ons het grootste deel van de tijd terugtrokken. Na jaren kon ik eindelijk het onwaarschijnlijke verhaal

The Portrait of Dorian Gray helemaal herlezen. Alleen Aidan, die zich als altijd niets aantrok van de elementen, trok er met zijn rugzak in de regen op uit. Hij kwam in het donker kletsnat terug, zijn *kikapu* vol met vreemde vetplanten.

'S Avonds kropen we voor het eten naar buiten, giechelend om de absurditeit van dit avontuur. Tijdens het voorgerecht in de druipende eettent werd onze aandacht getrokken door de verlichte boom aan de overkant van de rivier, waar de helft van de geit aan een dikke tak hing. Een grote genetkat trok er hongerig grote hompen vlees af. Uit het donkere gebladerte sprong ineens een schaduw in de boom, de tak slingerde en een luipaard kroop in al zijn geheimzinnigheid het licht in. Hij greep het karkas met zijn klauwen.

De genetkat had niet zo gulzig moeten zijn: de luipaard duldde geen rivalen, dook opzij en plantte achteloos zijn slagtanden in de nek van de genetkat. Hij klemde hem tussen zijn machtige kaken en schudde hem een paar keer heen en weer. Een rilling doorvoer het lenige, grijze dier en ademloos zagen we hoe het krachteloze lichaam onverschillig van de tak werd geworpen, de duisternis in. Alsof er niets was gebeurd, ging de luipaard terug naar de geit om zich er in de stromende regen te goed aan te doen, tot er alleen nog een paar botten over waren.

Dit was de voornaamste gebeurtenis tijdens de twee natste dagen van mijn leven.

Het lukte Jeremy niet terug te vliegen om zich bij ons te voegen, aangezien Colchecchio – zoals we de eerste avond op de kampradio hoorden – blank stond en in dichte mist en regen was gehuld. Uiteindelijk vertrokken we te voet in de stromende regen. We waadden tot onze hals door het rivierwater, met de gevaarlijk wiebelende bagage op het hoofd van onze dragers. We moesten de hele terugweg lopen naar het vliegtuig, dat glanzend nat op de zandige strook op de heuvel stond.

We vlogen terug door dampende mistbanken boven nieuwe moerassen en kolkende, modderige rivieren die de *lugga*'s vulden en kilometers zandgrond onder water zetten. In één dag en twee nachten was er ruim twaalf centimeter regen gevallen. Op Colchecchio waren twee dammen van mijn oude vriend Carletto doorgebroken: heftige waterstromen verdronken de vlakten waar zebra's en giraffen in paniek wegvluchtten.

De regens hadden Laikipia ook bereikt. Nacht na nacht lag ik in bed te luisteren naar het water dat van het dak stroomde. Ons grote stuwmeer was in een paar dagen weer vol. Als bij toverslag schoot het gras op de kale savanne uit de grond. De dieren sterkten langzaam maar zeker weer aan en de olifanten lieten mijn tuin een tijdlang met rust.

We hoorden dat de stortregens in het hele land ongehoorde overstromingen hadden veroorzaakt. Bruggen waren ingestort, treinen ontspoord, rivieren en meren buiten hun oevers getreden. Experts probeerden deze abnormale, ongekende verandering in de weersgesteldheid te verklaren. Elke dag verscheen er een andere fantastische uitleg in de dagbladen. Zelfs op de BBC World Service, de bijbel van alle goede Kenianen, werd erover gesproken.

Januari 1993 werd uitgeroepen tot de natste januarimaand in de Keniaanse geschiedenis. De laatste verklaring was dat een orkaan die op weg was naar Madagaskar door onbekende oorzaken was afgebogen en zijn watervloed over het verdorde Keniaanse land had uitgestort.

Waar je ook kwam, iedereen stond perplex. Maar wij, op Ol Ari Nyiro, wisten wel beter.

Op mijn nachtkastje lag de raadselachtige regenstok en veel mensen op de ranch kwamen hem bedanken. Overal waar ik me op de ranch vertoonde, werden met veelbetekenende blikken toespelingen gemaakt op zijn toverkracht. Zelfs de Pokot kwamen het te weten en opperden dat ik elk seizoen met mijn regenstok naar de plaats moest gaan waar de regen het hardst nodig was.

Nu is het maart en de stuwmeren beginnen alweer uit te drogen. Er gaan fluisterende stemmen op dat ik de regenstok weer moet gaan gebruiken. Maar ik wacht liever, want de goden moeten niet te vaak verzocht worden. Ik zal de verleiding weerstaan en wachten tot eind april, wanneer het hoort te gaan regenen. En als de lucht in het oosten betrekt, zal ik eerbiedig de regenstok van de Indianen gebruiken om de wolken weer naar dit gebied te lokken.

De regenstok hoort bij de mythen en legenden, en zoals iedereen weet uit de verhalen die hij als kind heeft gelezen, gaan magische krachten verloren als ze lichtvaardig worden aangewend.

Verjaardag in Turkana

Mijn verjaardag begon met de watervogels en de vogels
van de gevleugelde bomen die mijn naam vlogen.
DYLAN THOMAS, *Poem in October*

Kort voordat Sveva tien werd, vroeg ik haar: 'Vertel eens, waar zou jij je tiende verjaardag willen vieren? Het is een belangrijke verjaardag, de eerste met twee cijfers.'

Ze keek me aan met Paolo's ogen, turkooisblauw als Venetiaanse handelskralen.

'Kies iets bijzonders uit,' vervolgde ik, 'een symbool van wat je de komende tien jaar graag wilt doen. En vertel me de reden.'

Ik wist niet wat ze zou vragen, maar omdat ze was voortgekomen uit het ongetemde zaad der onvoorspelbaarheid voorzag ik dat ze geen voor de hand liggende keuze zou maken. Geen feest met taart en muziek, rondjes op de pony en mooie jurkjes, confetti, cadeautjes voor alle vriendjes en misschien een vossenjacht.

Op een dag, toen ze een jaar of acht was, kort nadat onze Turkana-begeleider en gids Mirimuk was overleden, wilde ze tijdens een korte vakantie de nacht met mij doorbrengen in de wildernis van Laikipia, zonder tent. We gingen samen naar het stuwmeer van Luoniek en nadat we hadden gegeten en elkaar verhalen hadden verteld bij een vuur van lelechwa-wortels, gingen we slapen op een grote matras op de grond onder een aan een boompje vastgemaakt muskietennet bij wijze van bescherming.

Midden in de nacht werd ik wakker van een geluid. Grijs en massief in het maanlicht, zo dichtbij dat hij ons had kunnen aanraken, stond daar een grote mannetjesolifant. Hij was vlak bij ons blijven staan om te plassen en werd aangelokt door het in de wind flapperende net. Volkomen bewegingloos, de kop opzij, leek hij te luisteren. Zijn slagtanden lichtten wit op in het maanlicht.

Ik hield mijn adem in en keek naar Sveva. Ze lag naast me, diep in slaap, opgerold in haar deken, het blonde haar uitgespreid op het kussen. Ze zag er zo onschuldig en kwetsbaar uit, zo ongelooflijk klein in de grote schaduw van de olifant. Ik bracht mijn hoofd dicht bij het hare en terwijl ik zachtjes in haar arm kneep, fluisterde ik in haar oor: 'Wakker worden. Er is hier een olifant. Verroer je niet. Ren naar de auto als ik dat zeg.' Mijn Toyota stond vlakbij geparkeerd met de achterklep open.

In tegenstelling tot wat kinderen gewoonlijk doen als ze ineens wakker worden geschud, opende ze meteen haar ogen en keek me heel even glazig aan. Zonder haar hoofd te bewegen sloeg ze haar ogen op naar de olifant. Ze schrok niet van wat ze zag. 'Niets aan de hand,' mompelde ze glimlachend, sloot haar ogen en was in een mum van tijd weer onder zeil. En algauw wandelde de olifant rustig weg. Dat voorval zal ik nooit vergeten.

Nu dacht ze na over mijn vraag. Ik hoefde niet lang te wachten. Ze glimlachte stralend, blozend als altijd: 'Ik wil graag naar een eiland in het Turkanameer. Jij zei eens dat het daar ongerept en mooi is en papa Paolo en Emanuele hielden van die plek. Ik denk dat het goed is om ergens heen te gaan waar ik nog nooit ben geweest. Omdat er niemand zal zijn behalve wij en omdat ik de volgende tien jaar bijzondere, ongerepte plaatsen wil zien waar haast geen mensen komen.'

'Afgesproken,' zei ik blij. Het was eeuwen geleden sinds ik zelf voor het laatst in Turkana was geweest.

Turkana met zijn woeste, verzengende wind als de adem van verborgen reuzen, zijn basaltrotsen en immense watervlakte, zijn krokodillen en enorme vissen, eenzaamheid en stilte en spectaculaire vergezichten. Ik wilde dolgraag terug. Maar een eiland? Hoe? De eilanden waren te klein voor een landingsstrook. Er was alleen een landingsbaan bij de oase Loyangalani en een in het noorden, tegen Ethiopië aan, bij Koobi Fora waar Richard Leaky zijn antropologische opgravingen deed. En een boot hadden we niet. Er was maar één eiland vlak genoeg om op te landen, het geheimzinnige, afgelegen Zuidereiland.

Ik had veel over dit eiland gehoord. De uitzonderlijke schoonheid, de dramatische, schitterende landschappen, de moeilijke bereikbaarheid, het gevaar als je er bij harde wind probeert te landen. Al jaren had ik horen vertellen over de magie. Het Zuidereiland in het Turkanameer stond boven aan mijn lijstje van oorden waar ik altijd al heen had gewild, maar die ik bij gebrek aan de juiste begeleider en de juiste omstandigheden nooit had bezocht. Je kon er eigenlijk alleen naar toe vliegen, maar aan geen van mijn vrienden met een vliegtuig durfde ik zo'n grote gunst te vragen. Het was gevaarlijk om daar te landen. Er was geen landingsstrook, alleen een vrijwel vlak gebied, een gebogen stuk land met een knik en een greppel in het midden, als getekend in het zwarte zand door de zwiepende staart van een dinosaurus, hoog tussen de rotsen en zeldzame doornbomen. De wind was daar zo sterk en de waterloze duinen waren zo kaal dat er zelfs geen mensen woonden. Alleen onverschrokken Turkana-vissers, naakt of met slechts een dunne lendendoek om, deden het eiland tijdens een vissafari aan met hun houten kano's vol harpoenen en met de hand gemaakte sisalnetten, na een oversteek door woeste wateren vol krokodillen.

Het Zuidereiland bleef dus buiten bereik. Ik wilde die ervaring niet bederven door het eiland 'even aan te doen'. Ik wilde een blijvende herinnering, een speciaal gevoel.

Zoals altijd bij iets waarop je je zinnen hebt gezet, werd dit oord door mijn verlangen des te begeerlijker en onbereikbaarder. De avontuurlijke ontdekking van zo'n pure omgeving had bijna religieuze implicaties en mocht alleen gedeeld worden met iemand die me zeer na stond. Er was maar één persoon die kon helpen deze dwaze droom te realiseren en dat was Aidan.

Hij trok er altijd alleen op uit om maagdelijke bergen en nooit bezochte woestijnen te verkennen. Hij genoot ervan door een nieuw gebied te trekken met als enig gezelschap zijn kamelen en de kameeldrijvers. Hij kende de Afrikaanse jungle en hij kende de lucht. Zijn vliegkunst was legendarisch en hij kon overal landen, op een weg, op een strand, op het zand, bij het licht van de maan of van een stormlamp.

Onze verhouding had de toets van de tijd en de smart van de scheiding gekend, maar toen het de goden behaagde, was hij teruggevlogen in mijn leven. Nu mocht ik zijn ogen bij daglicht zien en naast hem in de zon lopen. We konden het droge gras en het stof en het groeien der dingen ruiken. Nu beleefden we een tijd waarin we samen naar onbekende oorden gingen. We trokken een week lang met zijn kamelen door de woestijn, de verbijstering van de woestijnkus. We vlogen urenlang over verdorde heuvels naar een oud moslimstadje bij de grens met Ethiopië, waar we met traditionele gastvrijheid werden ontvangen.

Op een dag landden we op een verlaten strook ver van de bewoonde wereld, liepen langs een droge rivierbedding en ontdekten een bijbelse bron, kudden kamelen en geiten en primitieve veehoeders gekleed in tulband en wijde shuka. En op een nacht werd ik wakker van het geluid van een licht vliegtuigje dat op mijn strip op Kuti landde; ik rende met alle honden in mijn kielzog naar buiten en zag hem over mijn oprit lopen.

'De maan geeft net genoeg licht voor een wandeling in het maanlicht,' zei hij met een glimlach.

Sveva sliep die nacht met een vriendinnetje in een tent in de tuin, voor de grap en om het avontuur. Ze dachten dat er een raket van een andere planeet op onze landingsstrook was geland, vertelde ze de volgende ochtend.

Hij was de ideale man om mee te gaan naar het Zuidereiland in het Turkanameer en Sveva's tiende verjaardag was de ideale gelegenheid. Mijn dochter en mijn man, een volmaakte combinatie.

Het vliegtuig slipte in het zwarte zand en gleed in de richting van een kale, oranje gevlekte heuvel. Met een laatste geronk verstomde de motor. Toen was er alleen nog de stilte van het eiland in het vuur van de avond.

Ik opende de deur en sprong naar buiten. Na jaren omhulde de zoele wind van Turkana me weer met de zachte geur van soda, de kreet van een kraai en golven herinneringen. De gloeiende zon zakte langzaam naar de horizon en om ons een plezier te doen, verkleurde de heuvelketen van roze naar blauw en het meer van zilver naar tin. Sveva sprong naar buiten en de wind ving in een zonnige werveling haar honingkleurige glanzende haar.

'Dank je wel, mama!'

Ik schudde mijn pony uit mijn ogen en keek in het rond. Zover mijn blik reikte alleen water en gele heuvels, eilanden en lavazand, zwart grind en bergen, zonder een spoor van menselijk leven. Wij waren de enige mensen op aarde, en de eerste, en de laatste.

Ik drukte haar dicht tegen me aan. Haar hoofd kwam al tot mijn kin: binnenkort zou ze heel lang zijn.

'Fijne verjaardag, *amore*.'

Dit was dus het Zuidereiland in het Turkanameer. Misschien word ik honderd en misschien ga ik een dezer dagen dood, maar tot het laatste ogenblik zal ik de herinnering aan die betoverende dagen en nachten met Aidan en Sveva in Turkana met me meedragen. Er werd in die tijd over oorlog gesproken, de spanning in het Midden-Oosten steeg, de dreiging van Irak, de invasie van Koeweit, en de wereld stond klaar om een bloedbad aan te richten, ingegeven door stomme trots en inhaligheid. In Turkana was dat niet belangrijk.

Naast de heuvel ontdekten we een grote, kromme acacia die daar alleen en wijs groeide, net in de luwte van de wind. Daar brachten we onze bagage bij stukjes en beetjes heen: matrassen en matjes, jerrycans met drinkwater, een koelbox vol eten en een mandje met de verjaardagstaart, een chocoladehart dat Sveva's *ayah*, Wanjiru, liefdevol had ingepakt en waar Simon tien blauwe kaarsen bij had gedaan en een handvol roze bougainvilleabloemen voor '*maridadi*'.

We zetten onze spullen onder de doornboom neer, nauwlettend in het oog gehouden door enkele waaierstaartraven wier territorium we kennelijk binnendrongen, maar dat leken ze niet erg te vinden: ze keken begerig en verwachtingsvol naar onze voedselpakketten. Het was duidelijk dat ze voortdurend in onze buurt zouden blijven en om ze al meteen voor ons in te nemen en te laten zien dat ze van ons mochten blijven, gooide ik ze wat brood toe. Ik wist uit ervaring dat halsstarrige raven en kraaien die verjaagd worden uitermate vervelend kunnen worden en steeds op de loer blijven liggen om elk hapje eten dat niet bewaakt wordt in te pikken.

We gingen zwemmen in het warme sodawater onder aan de grijze lavavlakte die de warmte van de zon lang nadat ze was ondergegaan vasthield. We liepen onbeholpen over glibberige stenen het water in, goed oplettend of er geen krokodillen in de buurt waren. Gezeten op een rots zagen we een grote nijlbaars in haar onderwaterterritorium ronddartelen. We rustten uit in het hete zand waar we verborgen kristallen als zoekgeraakte juwelen aantroffen.

's Avonds ontstaken we een vuur van twijgen dat opflakkerde in de wind. We zaten met onze rug tegen een afgebroken tak van de acacia, groot genoeg om een beschermend en knus hoekje voor ons drieën te vormen met kussens en rieten matjes. We trokken een fles champagne open en aten koude pasta en terwijl een lamsbout met rozemarijn in folie gewikkeld boven het vuur werd geroosterd, vertelden we elkaar verhalen uit het verleden.

We slaagden er met veel moeite in de tien grote blauwe kaarsen aan te steken. Het kaarsvet borrelde en smolt weg door de hitte. Sveva blies ze sneller uit dan de wind; we kusten elkaar, terwijl onze vrienden de raven met rauwe stem hun goedkeuring zongen en vanaf de hoogste tak met schuine koppen over het feestje waakten.

Geen enkel ander meisje vierde haar verjaardag op zo'n onwaarschijnlijke, zeldzame manier, met als enig gezelschap de wind en het meer. En de goden glimlachten.

We bleven twee nachten onder die oude acacia en deelden dezelfde deken. Aidan beklom de verdorde heuvels op zoek naar zeldzame planten. We vonden verbleekte visgraten die we meenamen voor Simon omdat zijn voorouders uit Turkana kwamen.

Onlangs vertelde iemand me dat hij met enkele anderen op het Zuidereiland was geweest en daar op een tak van een eenzame acacia blauw kaarsvet had aangetroffen. Ze hadden geen idee wat dat te betekenen had.

De magische inham

En hand in hand op de zoom van het zand dansten ze
in het licht van de maan.
EDWARD LEAR, *The Owl and the Pussycat*

De oceaanwind bewoog de palmbladeren en het haar op zijn hoge, zuivere voorhoofd. Recht en slank in het gesteven, witte gala-uniform van een officier bij de Royal Navy stond Charlie de middag van zijn huwelijk op het strand van Taka Ungu.

Ik was met Sveva buiten adem gearriveerd na een lange vlucht uit Nairobi, een korte stop in Watamu om te lunchen en een eindeloze, zweterige rij op de pier van Kilifi, belaagd door venters met cashewnoten.

De geur van zeewier, de dampende hitte die uit de kreek opsteeg, de kleurrijke mensenmassa die wachtte op de veerboot, de vissers, de kinderen en de Giriama-vrouwen met naakte borsten en brede heupen, gekleed in fleurige kanga's en met manden op hun hoofd, waren karakteristiek voor Kilifi. De krachtige geuren van mango, gedroogde vis, kokosolie, rijpe bananen, zweet, rook, jasmijn en sandelhout mengden zich tot een koppig parfum. Ik ademde diep in: ondanks de hitte vond ik het altijd heerlijk om hier te zijn.

De middag was snel voorbijgegaan, bijna ongemerkt. Uiteindelijk besloten we ons door tijdgebrek in de bosjes onder een groepje palmbomen te verkleden. We lieten de kleine huurauto aan de kant van de weg stoppen en terwijl talloze auto's vol gasten in feestelijke kledij – kennelijk op weg naar dezelfde bruiloft – ons voorbijreden, glipte Sveva giechelend in haar prachtige jurk van crèmekleurige satijn met roze zomerroosjes.

Het was die decemberdag heet en plakkerig. De gasten hadden hun plaatsen beneden op het strand al ingenomen, in de beschutte hoek van koraalrotsen en fijn wit zand die Charlie en Emanuele lang geleden 'de geheime tuin' hadden genoemd. Ik nam de aanwezigen op.

Ze zaten op een keurige tribune van houten planken op witte stenen. Mirella stond in een paarsrode jurk en met een krans van frangipani rond haar hoofd als een rijpe nimf op blote voeten aan de kant; ze nam foto's en keek uit over de ruwe zee. Het altaar bestond uit twee grote kaarsen en een handvol schelpen en witte bloemen op een stuk door de zee uitgebleekt drijfhout. En voor het altaar bevond zich het bruidspaar.

Ik kreeg een brok in mijn keel van emotie: daar stond mijn Charlie naast zijn lieftallige bruid, omgeven door alle herinneringen, knap en slank als een jonge Mountbatten, romantisch in zijn witte uniform met gouden epauletten, nog altijd dezelfde jongensachtige glimlach op zijn onveranderlijk innemende gezicht onder de haarlok. Emanueles beste vriend. Voor mijn geestesoog zag ik de schaduw van mijn zoon achter hem staan, zijn getuige, een aantrekkelijke, lange, volwassen Emanuele.

's Avonds gingen we naar de bruiloft. De apenbroodboom die we vroeger magisch noemden, leek in het maanlicht wel van zilver.

Het feest werd gegeven in een huis op de klippen naast het huis dat wij een tijdlang als het onze hadden beschouwd. Het was van een excentrieke dame geweest die daar alleen woonde met vele katten, van planten hield en van alles wat groeide, maar in stilte diep ongelukkig was, wat ze met pillen trachtte te temperen. Op een avond kon ze het niet langer verdragen en nam ze alle pillen tegelijk in. Het huis had daarna een tijd leeggestaan en werd overgelaten aan zeezwaluwen en de zilte wind. De Giriama-huisknechten en de vissers die bij eb langskwamen om hun zeekreeften en koraalvissen aan de man te brengen, vertelden fluisterend de wildste verhalen. Uiteindelijk kwamen er weer nieuwe bewoners, die de ban verbraken en de schaduwen verdreven. Die avond was het huis vol leven: slingers van gekleurde lichtjes tussen de palmen verlichtten de donkere nacht, de muziek steeg hoog op in de passaatwind, de lucht geurde naar frangipani en vanille en zeewind, die de stemmen van de feestvierders meevoerde. Iedereen was vrolijk.

Er waren mensen die ik in geen jaren had gezien, de Kilifianen die vroeger op onze feestjes kwamen, de mannen die met Paolo over vissen praatten, en zelfs Mohammed, de gepensioneerde barkeeper van de Mnaraniclub die twee generaties lang achter zijn bar had geregeerd, al onze kinderen bij naam kende en ondanks zijn moslimgeloof ieders favoriete drankje wist.

Ik moest denken aan de tijd van de lady-Delamere-beker, toen alle boten zich bij zonsopgang verzamelden om de onstuimige zee op te gaan en te jagen op een droom van marlijn of zeilvis, haai of tonijn, of op zijn minst een grote barracuda, waarna ze pas in de middag terugkeerden met in de wind wapperende rode, blauwe en gele vlaggen, aan de hand waarvan we met onze verrekijkers probeerden te bepalen wie het meest had gevangen.

De vissen werden onder het genot van vele glazen Pimm's gewogen, de stand werd bijgehouden op het oude schoolbord en daarna werd de prijs uitgereikt door een vorstelijke, koele Diana Delamere. Iedereen applaudisseerde en sprak er nog wekenlang over.

Dat was in een andere tijd en ik wist dat die nooit zou terugkeren.

Diana stierf en met haar een heel tijdperk. De Mnarani werd verkocht aan de toeristenindustrie en de oude charme van vroeger loste op in de anonieme mensenmassa die elke week wisselde. Paolo overleed terwijl ik zwanger was van zijn kind, de blonde Sveva. Een paar jaar later voegde Emanuele zich bij hem, naar de andere wereld gezonden door een slang die niet kon weten wat hij aanrichtte.

Charlie, Emanueles schoolvriend, zat in die tijd nog op de militaire academie in Engeland en trad kort daarna in zijn vaders voetsporen bij de Royal Navy. Hij hield contact met me en als hij in Nairobi was, verscheen zijn lange, slungelige gestalte altijd op onze drempel. Hij was me dierbaar.

De nu in smetteloos wit linnen geklede Charlie met om zijn slanke middel een flesgroene sjerp waarop een gouden draak was geborduurd, zette me als de moeder die hij had verloren aan zijn rechterhand, en ik aanbad hem als de zoon die ik had verloren. Bruine ogen, vriendelijk twinkelende ogen die volschoten met tranen toen hij herinneringen ophaalde aan gelukkige tijden.

'Weet je nog dat je ons vertelde over de magische apenbroodboom die bij volle maan tot leven kwam? En wij geloofden dat.'

'Weet je nog dat we Ians verjaardag aan het eind van de ramadan op de Mnaraniclub vierden en dat Oria alle vrouwen uit het dorp vroeg om traditioneel eten te koken en hun *buibuis* uit te lenen?'

'Weet je nog dat we die enorme pofadder op het pad bij het huis van Fielden vonden? Hij lag midden op de weg en Emanuele wilde niet over hem heen rijden om hem niet te doden. We moesten wachten tot hij hem had overgehaald weg te gaan.'

'Weet je nog dat je in december 1979 als verrassing een verjaardagsfeest voor Paolo en mij organiseerde in de inham bij de Kilifiplantage? De inham was verlicht met honderden kaarsen en je had de vloedlijn gemarkeerd met lampionslingers. Je had heel Kilifi uitgenodigd en iedereen was er.'

De magische inham. Hoe kon ik die vergeten. Ik staarde naar het champagneglas in mijn hand en door de gouden belletjes heen, als in een geel kristallen bol, golfde de herinnering aan die gelukkige tijd terug.

Toen de oceaan groen was met witte schuimkoppen op de golven en de passaatwind Kilifi teisterde, ging Emanuele met zijn vriend Charlie zeilen.

Ik keek vanaf de oever of ik hun fragiele bootje zag voorbijkomen, zittend onder een reusachtige apenbroodboom in onze tuin. Het was een enorme boom met een grijze stam vol zilveren draden die de hitte van de zon als een menselijk lichaam leken te absorberen, mijn favoriete toevluchtsoord tijdens de lange middagen aan de kust.

Ze zwaaiden als ze me zagen; de slankheid van hun jonge vormen werd nog benadrukt door de bolling van het zeil en de uitgestrektheid van de oceaan. Hun boot ging hard, danste op de golven in witte schuimnevels, verdween achter de koraalrotsen en liet alleen een leeg rif en de kleur van mijn bewondering achter.

'Ik heb een fantastische plek gevonden, Pep,' zei Emanuele op een middag bij thuiskomst terwijl hij zijn vochtige blonde pony op zijn voorhoofd droogde. Zijn donkere ogen lichtten op in een glinstering van enthousiasme.

'Een kleine inham bij de Kilifiplantage. Charlie en ik vinden dat je moet komen kijken. Je zou daar een geweldig feest kunnen geven.'

De volgende middag reden we er samen heen. Het was niet eenvoudig de inham vanaf de rotsige kust te vinden, aangezien het terrein was begroeid met meer dan manshoge stekelige sisalplanten en een wirwar van vervlochten grassen. Eindelijk vonden we hem aan het eind van een onopvallend paadje. De jongens hielpen me tussen de ruige, oude, met zeekraal begroeide koraalrotsen door naar beneden en toen waren we er.

Het was een halfronde inham met perfecte verhoudingen, omringd door ruige grotten op verschillende hoogten die geschapen waren voor stralende kaarsen.

De vloed kwam op, geselde de kust van onbezoedeld wit zand en liet er kanten patronen op achter van slierten zeewier en kokosdoppen. Zeemeeuwen kwamen laag overgevlogen met onbeweeglijke vleugels en hoge kreten die de avondstilte verscheurden.

De plek ademde een tijdloze zuiverheid die me verrukte. Het was ideaal voor een bijzonder feest.

Het was begin december 1979. Charlie was net jarig geweest en Emanueles verjaardag was in januari, maar Paolo zou over een dag of tien jarig zijn, vlak voor de kerst. Ter plekke besloten we als verrassing een feest voor hem te geven in de magische inham.

Er volgden dagen van opwinding en geheime voorbereidingen. Op de markt in Mombasa kocht ik matten van gevlochten palmblad om op het zand neer te leggen, fleurige kanga's en kapok om grote kussens van te maken. Van de werkplaats op de Kilifiplantage, waar de toegang tot de inham was, leenden we vaten en roosters voor de barbecue, lange, lage tafels van drijfhout en planken die we als ladders wilden gebruiken om naar de inham af te dalen.

Dagenlang glipten we 's morgens vroeg als Paolo aan het vissen was of laat in de middag weg om het feest voor te bereiden. We hadden heel Kilifi uitgenodigd en iedereen moest zweren niets te zullen verraden. We verzamelden het afval dat generaties golven op het strand hadden aangespoeld, veegden het droge zeewier en het zand van de rotsen en brachten uiteindelijk de noodzakelijke attributen naar beneden.

Toen was het zover. Ik vertelde Paolo dat we waren uitgenodigd voor een heel bijzonder strandfeest. Verbaasd en nieuwsgierig ging hij mee, zonder zich te realiseren dat hij de eregast was op zijn eigen verjaardag, om middernacht.

We waren vanaf 's morgens vroeg bezig geweest met slepen en versieren. De inham zag er nu heel anders uit: helder verlicht door kaarsen die knipoogden vanaf de stenen richels als in een sprookjesland. Lampions markeerden de vloedlijn en matten lagen verspreid op het vochtige zand, bedekt met helderblauwe en turkooizen kussens in een grote kring rond een felbrandend vuur. Stormlantaarns en slingers van frangipani hingen aan stukken drijfhout. De muziek speelde met het geluid van de wind.

In de grootste grot gloeide een flinke barbecue, waarop mijn kok Gathimu het vlees roosterde. Op een lange tafel bedekt met bananenbladeren stonden grote schalen met pizza's en *samosa's*, oesters en kebabspiezen, knoflookbroden en kazen, mango's, papaya's en ananassen. In een houten bekken gevuld met ijs lagen flessen wijn en champagne en in een kom met drijvende bloemen zat een kruidige rumpunch die werd opgediend in halve kokosnoten versierd met rode hibiscus. En boven dit alles hing een avond van balsemieke zeebriesjes, nachtelijke jasmijngeuren en sterren.

Wij gaven het feest en wij waren dan ook de eersten die arriveerden. Paolo, slaakte een kreet van verrassing en omhelsde me uitbundig toen hij besefte wat we hadden bekokstoofd. De gasten arriveerden in groepjes en alle gezichten weerspiegelden dezelfde bewondering. Het werd een jolige bedoening waarbij veel en vrolijk werd gelachen, gegeten, gedronken en gedanst.

Ik wist het toen nog niet zeker, maar ik had al wel de eerste tekenen gevoeld van een nieuw leven dat diep in mij, in de geheime oester van mijn schoot, gestalte kreeg, ontstaan uit Paolo en mij om ons eeuwig te herinneren aan onze eenwording.

In de grotten, tussen de nieuwsgierige, zich onzeker voortbewegende oranje krabben, werd de duisternis door kaarsen verlicht. Zeemeerminnen zwommen ongezien in de grijsgroene golven, zeemeeuwen krijsten en in Paolo's ogen bevroedde ik wervelingen van onbeantwoorde vragen.

Ik wist niet – hoe kon ik dat weten, ik had nog zo veel te leren – dat de heldere droefheid in de dromerige glans van zijn ogen de voorbode was van een toekomst die hij niet zou zien en dat dit Paolo's allerlaatste feest zou zijn.

Het eindigde toen de vrachtwagen niet stopte en Paolo's auto niet op tijd tot stilstand kwam, toen zijn leven werd verzwolgen en van zijn lichaam werd gescheiden en meegevoerd naar de zeemeeuwen waarvan hij zoveel hield, en naar de lucht en de wolken en de heuvels van Laikipia.

Het eindigde toen het 's nachts vloed werd en de rode bougainvillea wegdreef op kabbelende golfjes en de kaarsen in de lampions een voor een doofden in het oceaanwater en wij wisten dat het tijd was om te vertrekken.

De volgende ochtend gingen we kijken. Er was alleen nog gesmolten kaarsvet te zien, enkele stervende frangipanibloemen op de rotsen tussen het zeewier en een leeg wijnglas dat zachtjes heen en weer rolde op het strand, verbazingwekkend genoeg nog heel.

Mijn ogen zagen weer de glazen met gekoelde champagne op het witte tafelkleed. Charlie keek me verwachtingsvol aan. Aan de andere kant van de tafel keek Sveva, het stralende vrouwelijke evenbeeld van haar vader in crèmekleurige zijde en roze roosjes, me aan met haar oceaanblauwe ogen.

Ik schudde mijn hoofd en keerde terug in het heden.

Glimlachend keek ik hem aan: 'Het feest in de magische inham, natuurlijk weet ik dat nog. Hoe kan ik dat vergeten.'

Later die avond toen er werd gedanst, vroeg Charlie Sveva ten dans zoals hij zijn zusje zou hebben gevraagd en wervelden ze rond in een levendige wals, het kindvrouwtje met haar gloed van blond haar en zijde, met sterren in haar ogen, en de lange jongeman die mijn zoon had kunnen zijn.

Op het strand beneden trok het water zich terug en bleef er op het zand een patroon achter van schelpen en visgraten, drijfhout en verstrengeld zeewier, fragmenten van onverwoorde oceaanverhalen.

Als het tij komen we en gaan we, met achterlating van onze voetafdrukken op de harde oevers van ons leven. De achterblijver staart met stil respect naar de sporen en probeert behoedzaam en teder die fragiele, geliefde figuurtjes uit de mist van de tijd op te roepen.

Beiden hielden van verhalen en als ik het mijne vertel,
hoor ik hun stemmen fluisteren vanachter de nu stille storm.
Zij verbinden de overlevende met hun herinnering.

ELIE WIESEL, *Souls on Fire*

VERKLARENDE WOORDENLIJST

askari – inlandse politieman of bewaker
ayah – kindermeisje, oppas, verzorgster
bhang – marihuana
boma – veekraal omringd met doornstruiken
buibui – traditioneel kledingstuk voor moslimvrouwen
bwana – meneer, echtgenoot
carissa – wilde jasmijn met eetbare bessen
chinja – slachten
chui – luipaard
chumvi – zout
desturi – gewoonte, traditie
daho – traditionele Arabische zeilboot van hout
dhow – traditionele Arabische zeilboot van hout
duka – winkeltje
fundi – timmerman, manusje-van-alles
galago – bushbaby, halfaap
jambo – hallo
kanga – traditioneel los wikkelkledingstuk voor vrouwen
kasuar-boom – ijzerhoutboom
kikapu – mand
kikoi – traditioneel los wikkelkledingstuk voor mannen
lelechwa – wilde salie
lugga – opgedroogde rivierbedding, klein dal
madafu – verse kokosnoot
makuti – dak van palmbladeren
manyatta – afgebakend erf waarop een stam traditioneel woont
marati – trog, drenkplaats

maridadi – schoonheid
mbogani – open gebied
memsaab – mevrouw
muganga – medicijnman, sjamaan
mutamayo – wilde olijfboom
Mungu – God
nungu nungu – stekelvarken
nyoka – slang
poriti – paal, balk van mangrovehout
samosa – sterk gekruide Indiase pasteitjes
shamba – akkertje, klein boerenbedrijfje
shuka – lendendoek, sjaal, omslagdoek
simba – leeuw
upupa – hop (vogel)
wasungu – Europeaan

DANKBETUIGING

Een aantal vrienden heeft me aangemoedigd en goede raad gegeven toen ik dit boek aan het schrijven was.

Ik ben bijzonder veel dank verschuldigd aan Gilfrid Powys voor zijn grenzeloze vertrouwen in mij; aan Chris Thouless voor zijn geestige kritiek en intelligente humor; aan Adrian House omdat hij me een verhalenverteller noemt; aan Toby Eady voor zijn vakkundige en broederlijke steun; aan John en Buffy Sacher die me steeds weer met open armen in Londen hebben ontvangen; aan mijn Keniaanse vrienden; aan de talloze mensen die me schreven dat mijn boek hen op de een of andere manier in hun eigen leven had geholpen en me vroegen door te gaan met schrijven.

En, zoals altijd, aan Paolo en Emanuele, wier nagedachtenis mijn leven bezielt en stuurt.

En aan mijn dochter Sveva, omdat ze er is.

Laikipia, september 1993